MOLIÈRE

L'École des femmes

Comédie
1662

*Texte conforme à l'édition
des Grands Écrivains de la France*

*Avec un tableau de concordances chronologiques,
une notice littéraire, des notes explicatives,
des questionnaires, des documents, des jugements
une lecture thématique et un lexique
établis par*

François HINARD
Agrégé des Lettres

Nouveaux
Classiques
illustrés
Hachette

Collection dirigée par Hubert Carrier

ÉVÉNEMENTS HISTORIQUES		LA VIE ET L'ŒUVRE DE MOLIÈRE	
			• **Enfance (1622-1632)**
1622	L'Europe est en guerre (guerre de Trente Ans, 1618-1648). **Louis XIII règne sur la France.**	1622	Naissance, à Paris, de Jean-Baptiste Poquelin. Baptême le 15 janvier.
1624	Richelieu est premier ministre.		
1628	Prise de La Rochelle.		
1632	Avènement de Christine de Suède. Opposition croissante des Grands à Richelieu.	1632	Mort de Marie Cressé, sa mère.
			• **Études (1632-1642)**
1635	**La France entre dans la guerre de Trentre Ans** contre l'Espagne et l'Empire.	1633-1639	Le jeune homme reçoit, chez les jésuites du collège de Clermont, l'éducation des « honnêtes gens ».
1638	Naissance de Louis XIV.		
		1641	Il entre sans doute en relation avec des libertins et subit l'influence du philosophe épicurien Gassendi.
1642	Conspiration et exécution de Cinq-Mars. Mort de Richelieu.	1642	Jean-Baptiste Poquelin obtient, à Orléans, le titre de licencié en droit. Son père lui laisse sa charge de tapissier du roi.

I.S.B.N. 2.01.002526.1

	ÉVÉNEMENTS LITTÉRAIRES		*LA VIE INTELLECTUELLE, RELIGIEUSE ET ARTISTIQUE*
1621	Naissance de La Fontaine.		
1623	Naissance de Pascal.		
1624	Honoré d'Urfé donne la dernière partie de l'*Astrée* dont le début remonte à 1608.	1624	Gassendi : *Exercitationes paradoxicae adversus Aristotelem.*
1625	*Les Bergeries* de Racan.	1625-1648	**L'Hôtel de Rambouillet connaît sa période la plus brillante.**
1626	Naissance de Mme de Sévigné.		
1627	Naissance de Bossuet.	1627	Fondation de la Compagnie du Saint-Sacrement.
1628	Mort de Malherbe.		
1629	*Mélite*, comédie de Corneille.		
		1631	Théophraste Renaudot fonde la *Gazette de France.*
1632	*La Galerie du Palais*, comédie de Corneille.	1632	Naissance de Lulli et de Spinoza.
		1633	Abjuration de Galilée.
1634	Corneille donne une nouvelle comédie : *La Place Royale.*	1634	Naissance du compositeur Marc-Antoine Charpentier.
1635	*Médée*, tragédie de Corneille.	1635	Richelieu fonde l'Académie française.
1636	Naissance de Boileau. Corneille donne *L'Illusion comique*, « comédie dans une comédie ».	1636	Descartes : *Discours de la Méthode.*
1637	*Le Cid*, de Corneille, connaît un succès immense.		
1639	Naissance de Racine.		
1640	*Horace*, tragédie de Corneille.	1640	Mort de Rubens. L'*Augustinus* de Jansénius, bréviaire du jansénisme.
1641	*La Guirlande de Julie* à l'Hôtel de Rambouillet.		
1642	*Cinna* et *Polyeucte*, tragédies de Corneille.	1642	**Gassendi contre Descartes :** *Disquisitio metaphysica adversus Cartesium.* Mort de Galilée.

	ÉVÉNEMENTS HISTORIQUES		*LA VIE ET L'ŒUVRE DE MOLIÈRE*
			• **Les débuts au théâtre (1643-1644)**
1643	**Mort de Louis XIII.** Régence d'Anne d'Autriche. Gouvernement du cardinal Mazarin.	1643	Il fonde, avec la famille Béjart, *L'Illustre Théâtre.*
		1644	Il devient directeur de la troupe et prend le nom de Molière.
			• **Le théâtre ambulant (1645-1657)**
		1645-1653	Il est le comédien du duc d'Épernon et parcourt le midi de la France.
1648	Traités de Westphalie qui consacrent la paix avec l'Europe.		
1648-1652	**La Fronde.**		
1653	Fouquet devient surintendant des Finances.	1653	Il devient le protégé du prince de Conti.
		1655	Il monte *L'Étourdi*, à Lyon.
		1656	Création du *Dépit amoureux*, à Béziers.
		1657	Le prince de Conti, converti au jansénisme, lui retire sa protection.
			• **Paris : les succès (1658-1664)**
		1658	De retour à Paris, Molière s'installe au Petit-Bourbon. Il est protégé par Monsieur, frère du roi.
1659	**Paix des Pyrénées : Prépondérance de la France en Europe.**	1659	Succès éclatant des **Précieuses ridicules.**
1660	Mariage de Louis XIV avec Marie-Thérèse d'Espagne.	1660	Succès de *Sganarelle.*
1661	Fêtes en l'honneur de Louis XIV. **Mort de Mazarin** : le roi gouverne seul.	1661	Molière s'installe au Palais-Royal. Échec de *Dom Garcie de Navarre*, mais succès de **L'École des maris** et des *Fâcheux.*

ÉVÉNEMENTS LITTÉRAIRES		LA VIE INTELLECTUELLE, RELIGIEUSE ET ARTISTIQUE	
1643	*Le Menteur* et *La Suite du Menteur*, comédies de Corneille.	1643	Arrivée de Lulli à Paris.
1644	*Rodogune*, tragédie de Corneille.	1644	Suite de la polémique de Gassendi contre Descartes : *Dubitationes et instantiae adversus Cartesii metaphysicam.*
1645	Naissance de La Bruyère.	1645	Gassendi professeur au collège de France.
		1646	Naissance de Leibniz.
1647	Vaugelas : *Remarques sur la langue française.*	1647	Pascal : *Traité sur le vide.*
1648	Mort de Voiture et déclin de l'Hôtel de Rambouillet.	1648	**Fondation de l'Académie de peinture et de sculpture.** Mort du peintre Le Nain.
1649-1653	Mlle de Scudéry publie *Le Grand Cyrus.*	1649	Descartes : *Traité des Passions.*
1651	*Le Roman comique*, de Scarron (début). *Nicomède*, tragédie de Corneille.	1650	Mort de Descartes.
		1652	Mlle de Scudéry ouvre un salon littéraire.
1654	(23 nov.) « Nuit » de Pascal.	1653	Condamnation du jansénisme.
1655	Pascal se retire à Port-Royal.		
1656	*Clélie, histoire romaine*, de Mlle de Scudéry.	1656-1659	Construction pour Fouquet du château de Vaux-le-Vicomte.
1657	*La Pratique du théâtre*, de l'abbé d'Aubignac.	1657	Mignard fait le portrait de Molière.
		1658	Publication des œuvres complètes de Gassendi.
1660	Premières *Satires* de Boileau.	1660	Mort de Vélasquez.
	Corneille : *Examens* et *Discours sur le poème dramatique.* Somaize : *Dictionnaire des Précieuses.*	1661	Fondation de l'Académie royale de danse. Lulli surintendant de la musique.

ÉVÉNEMENTS HISTORIQUES		*LA VIE ET L'ŒUVRE DE MOLIÈRE*	
		1662	Il épouse Armande Béjart. **Triomphe de l'École des femmes et début de la querelle.**
		1663	La querelle s'envenime : *La Critique de l'École des femmes* et *L'Impromptu de Versailles*.
1664	Condamnation de Fouquet.	1664	Le roi commande à Molière sa première comédie-ballet : *Le Mariage forcé*. *La Princesse d'Élide*.
			• Les difficultés (1664-1669)
		1664	La « cabale des dévots » fait interdire *Le Tartuffe*.
1665	Colbert contrôleur général des Finances.	1665	*Dom Juan* est interdit. La troupe devient troupe du roi.
1666	Mort d'Anne d'Autriche. Mort du prince de Conti.	1666	Succès médiocre pour *Le Misanthrope*.
1667-1668	**Guerre de Dévolution** et traité d'Aix-la-Chapelle.		
		1668	Échec de *L'Avare*. Molière est déjà malade.
		1669	Triomphe du *Tartuffe* enfin autorisé. *Monsieur de Pourceaugnac*, comédie-ballet.
			• Les dernières années (1670-1673)
1670	Mort de Madame (Henriette d'Angleterre).	1670	*Le Bourgeois gentilhomme*. *Les Amants magnifiques*.
		1671	*Psyché*, *Les Fourberies de Scapin*, *La Comtesse d'Escarbagnas*.
1672	La cour s'installe à Versailles.	1672	**Les Femmes savantes.**
1672-1673	**Guerre de Hollande** : passage du Rhin et conquête de la Hollande.	1673	*Le Malade imaginaire*. 17 février, mort de Molière.

ÉVÉNEMENTS LITTÉRAIRES		LA VIE INTELLECTUELLE, RELIGIEUSE ET ARTISTIQUE	
1662	Mort de Pascal. *Mémoires* de La Rochefoucauld. Boileau compose une satire qu'il dédie à Molière.	1661-1672	Construction et aménagement de Versailles.
1663	Donneau de Visé : *Nouvelles nouvelles* et *La Réponse à l'Impromptu de Versailles.*	1663	**Descartes condamné par la Sorbonne.**
1664	*La Thébaïde* de Racine est jouée par la troupe de Molière.	1664	Dispersion des religieuses de Port-Royal de Paris.
1665	Mort de Mme de Rambouillet. Racine se brouille avec Molière. La Rochefoucauld : *Maximes.*	1665	Claude Perrault commence la colonnade du Louvre. Mort du peintre Poussin.
1666	Bossuet prêche le carême à Saint-Germain.	1666	Fondation de l'Académie des sciences.
1667	*Andromaque* de Racine.		
1668	Premier recueil des *Fables* de La Fontaine. *Les Plaideurs*, comédie de Racine.	1668	Mort du peintre Mignard. **La compagnie du Saint-Sacrement traquée par le Roi.**
1669	*Britannicus* et *Bérénice* de Racine.	1669	Mort de Rembrandt. Création de l'Académie royale de musique.
1670	Édition des *Pensées* de Pascal par Port-Royal. Bossuet prononce l'*Oraison funèbre d'Henriette d'Angleterre.*	1670	Construction des Invalides par Mansart.
1671	Bossuet est élu à l'Académie française. Début de la correspondance de Mme de Sévigné.		
1672	*Bajazet* de Racine.	1672	Fusion des deux Académies de danse et de musique (Opéra de Paris) : la direction en est confiée à Lulli.
1673	*Mithridate* de Racine.	1673	*Cadmus et Hermione*, opéra de Lulli.

Notice sur L'École des femmes

1 Les circonstances de la composition de la pièce

Au mois de juin 1661, Molière avait remporté un franc succès avec une comédie en trois actes : *L'École des maris.* Il y montrait deux frères d'âge mûr qui ont reçu d'un ami mourant la délicate mission d'élever chacun une de ses filles. Ariste, le plus âgé des deux, élève Léonor dans la confiance et la tendresse. Sganarelle, en revanche, croit davantage à l'efficacité de principes rigoureux : il tient la malheureuse Isabelle cloîtrée dans sa maison avec, pour seule distraction, les activités domestiques. Il prétend, par cette méthode, se préparer une épouse soumise dont il n'aura pas à craindre les intrigues :

> « Je ne veux point porter de cornes, si je puis ;
> Et comme à m'épouser sa fortune l'appelle,
> Je prétends corps pour corps pouvoir répondre d'elle. »
>
> (vv. 126-128)

Et, comme il est naturel à qui prétend exercer un pouvoir tyrannique sur les autres, Sganarelle sera ridiculisé : Isabelle lui échappera et épousera le jeune Valère alors qu'Ariste, malgré ses soixante ans, épousera Léonor dans la confiance et la tendresse réciproques.

Le succès que cette comédie lui valut aussi bien que le reproche qu'on lui fit de n'avoir pas donné à son sujet l'ampleur de cinq actes ; le thème de l'éducation des filles dont on peut penser qu'il intéressait Molière puisqu'il l'avait abordé en 1659 avec *Les Précieuses ridicules* (notamment à la scène IV) et en 1661 avec *L'École des maris* ; son propre mariage, peut-être aussi, avec la jeune Armande Béjart : autant de bonnes raisons pour Molière d'entreprendre une comédie en cinq actes et en vers qui devait lui permettre de renouveler son succès de l'année précédente sur un sujet à la mode.

2 L'accueil du public

La comédie connut immédiatement un immense succès qui ne se démentit pas par la suite : elle fut jouée à bureaux fermés du 26 décembre 1662 jusqu'à la relâche de Pâques 1663 (soit 32 représentations, avec des recettes très importantes). Reprise aussitôt après cette interruption, elle se maintint à l'affiche jusqu'au mois d'août. Seul *Le Tartuffe*, en 1669, rapporta autant à Molière et à sa troupe. C'est en mars 1663 que Molière en assura la publication avec une épître dédicatoire à Henriette d'Angleterre dont la protection, conjuguée à celle du Roi (après l'avoir gratifié de 4 000 livres, Louis XIV le pensionna pour 1 000 livres), lui assurait, en principe, la tranquillité.

Mais malgré ce succès immense — succès de parterre et succès de cour — *L'École des femmes* provoqua bien des protestations : indécence, grossièreté, maladresse, impiété, plagiat, autant de reproches qu'on adressait à cet auteur-acteur-directeur de troupe un peu trop heureux. Ce fut bientôt une opposition qui se constitua et qui ne désarma plus jusqu'à sa mort. A partir du 26 décembre 1662, Molière eut à lutter contre des rivaux malheureux, des comédiens concurrents, des précieuses, des marquis, des dévots — vrais ou faux — des curés, sans oublier des médecins et des notaires.

Ce qu'il défendait contre ces ennemis, c'était la liberté du théâtre comique, son existence même. Il ne s'y était pas trompé : malgré les conseils de son ami Boileau qui l'invitait, dans des *Stances* qu'il lui adressa, à traiter la chose par le mépris, il résolut, au contraire, de ne pas laisser le champ libre à des adversaires qui pouvaient devenir dangereux.

3 La « Querelle de l'École des femmes »

L'opposition à laquelle se heurtait Molière était diffuse : il n'y avait pas, à proprement parler, une catégorie sociale cohérente ou une corporation qui s'en prenait à lui avec des griefs bien déterminés. C'était, au contraire, une hostilité de coteries, constituées par des intérêts divers, mais qui étaient suffisamment nombreuses et puissantes pour nuire à la troupe et à son directeur, d'autant que les « arguments » qu'elles utilisaient pour combattre la pièce étaient de tout ordre : cela va du reproche « technique » sur le non-respect des règles d'Aristote aux calomnies pures et simples sur la personne même de l'auteur et de sa jeune femme, en passant, bien sûr, par l'accusation d'impiété. Attaquer Molière devint même un moyen, parmi d'autres, de se faire connaître et apprécier de certains salons littéraires.

Au milieu de cette horde disparate d'ennemis, en effet, on trouve des gens de lettres. Certains étaient encore peu connus, tel le jeune Donneau de Visé qui se lança dans la bataille en février 1663 avec *Les Nouvelles nouvelles*. D'autres, en revanche, dont la réputation n'était plus à faire, étaient plus redoutables : les frères Corneille qui s'étaient mis à la tête des comédiens de l'Hôtel de Bourgogne qu'ils envoyaient assister aux représentations pour y manifester bruyamment leur opposition. Il est vrai que Molière avait quelque peu égratigné ses deux confrères dans sa comédie : il parodiait les vers tragiques du premier et daubait le second sur sa manie de rallonger son nom avec une particule nobiliaire.

En donnant l'édition de sa pièce, en mars 1663, Molière annonçait dans la préface qu'il avait une réponse prête : « ... il se trouve qu'une grande partie des choses que j'ai à dire sur ce sujet est déjà dans une dissertation que j'ai faite en dialogue... ». Cette « dissertation », c'est *La Critique de l'École des femmes*, dédiée à la reine mère, représentée le 1er juin 1663 et qui connut un immense succès de curiosité, comme bien on pouvait s'y attendre. L'habileté de Molière, en faisant jouer cette « dissertation », était de donner corps à ce qui n'était qu'insinuations et calomnies. Molière formulait ainsi lui-même les griefs qu'on lui faisait, il leur donnait un visage : celui d'un marquis, celui d'une précieuse, celui d'un auteur dramatique. Il parvenait, par ce procédé, à affaiblir une opposition qui tirait une partie de sa force de la clandestinité ; il donnait au débat des contours bien définis, disqualifiant ainsi tout ce qui relevait de la calomnie ; il élevait enfin le ton de la querelle en réclamant pour la comédie des titres de noblesse dont seule la tragédie pouvait alors se prévaloir : « ... c'est une étrange entreprise que celle de faire rire les honnêtes gens » (scène 6).

Mais en ridiculisant certains de ses adversaires, Molière ne fit qu'exacerber une hostilité qui se déchaîna : Donneau de Visé, qui s'était déjà signalé par des attaques vigoureuses, récidiva en donnant une comédie : *Zélinde, ou la véritable Critique de l'École des femmes et critique de la Critique*. Il se montrait particulièrement dangereux en accusant Molière de se jouer de la religion et en appelant sur lui la vengeance. Boursault, un jeune auteur inconnu, mais peut-être soutenu par Corneille, fit jouer lui aussi une comédie, au mois de septembre : *Le Portrait du peintre*. C'est une bien méchante pièce qui n'épargne rien à Molière, pas même les attaques sur sa vie privée.

Molière répliqua par *L'Impromptu de Versailles*, joué pour la première fois devant le roi le 14 octobre 1663, puis représenté au Palais-Royal le 4 novembre. Il y mettait en scène une répétition de sa propre troupe s'apprêtant à jouer devant le roi une comédie qui serait une suite à *La Critique de l'École des femmes*. Mais à la différence de la *Critique*, l'*Impromptu* n'est pas une réponse directe à des accusations ou calomnies lancées contre l'auteur ; il s'agit plutôt d'une apologie constituée par la représentation de sa troupe et de lui-même en plein travail de création et qui rend vaines toutes les accusations lancées contre lui par le spectacle d'un auteur-metteur en scène et de ses comédiens, uniquement occupés de leur métier : faire rire. En même temps il annonce qu'il ne veut plus polémiquer avec des adversaires à qui il ferait trop d'honneur en continuant de les prendre au sérieux et demande qu'on cesse de l'attaquer dans sa vie privée. Quelque temps après, le Roi acceptait d'être le parrain de son premier fils (février 1664). Ce geste témoignait assez de l'appui sur lequel pouvait compter Molière.

La cabale ne désarma pourtant pas : la *Réponse à l'Impromptu de Versailles* par Donneau de Visé, jouée fin novembre 1663 ; *L'Impromptu de l'Hôtel de Condé* de Montfleury... Mais surtout, Molière avait réuni et constitué contre lui une solide troupe d'ennemis qui ne le lâchèrent plus et qui connurent leur jour de gloire avec l'interdiction du *Tartuffe*, l'année suivante (1664).

4 Analyse méthodique de l'action

ACTE I

1 Arnolphe, de retour de voyage, explique à son ami Chrysalde que, sans craindre le ridicule, il va, lui le railleur des cocus, se marier. Il a pris toutes ses précautions : il s'agit d'une jeune fille — Agnès — qu'il a prise au berceau, qu'il a fait élever dans la plus parfaite ignorance, qu'il tient enfermée dans une autre maison que la sienne où on le connaît sous le nom de M. de la Souche. Il invite Chrysalde, qui se montre dubitatif et réprobateur, à venir souper le soir même pour voir cette jeune merveille.

2 Arnolphe, alias M. de la Souche, a beaucoup de mal à rentrer chez lui tant sont stupides ses domestiques qui tardent à lui ouvrir ; il s'enquiert auprès d'eux de ce qu'a fait la jeune Agnès pendant son absence.

3 Il échange quelques mots avec la jeune fille qu'il a fait descendre, puis la renvoie à ses occupations domestiques.

4 Survient Horace, fils d'un de ses amis, Oronte. Arnolphe arrache au jeune homme la confidence d'une aventure qu'il a dans la ville : elle s'appelle Agnès, elle est séquestrée par un jaloux — un certain M. de la Souche. Arnolphe parvient à ne pas se trahir et laisse partir Horace, mais le suit aussitôt après pour en savoir plus long sur cette aventure.

ACTE II

1 Arnolphe qui n'a pas réussi à rejoindre Horace, s'en félicite : il va d'abord mener son enquête chez lui.

2 Il tente d'interroger ses domestiques, mais, incapable de garder son calme, y renonce et quitte la scène.

3 Pendant son absence, Alain et Georgette, ses domestiques, expliquent, à leur façon, le comportement étrange de leur maître.

4 Arnolphe, un peu calmé, revient avec Agnès. Ils restent seuls. Arnolphe essaie d'obtenir de la jeune fille un aveu de tout ce qui s'est passé pendant son absence. Agnès lui raconte alors comment elle a fait la connaissance d'Horace et quelle émotion elle en a connue. Rassuré, Arnolphe annonce à la jeune fille que, pour la contenter, il va la marier le soir même. Malentendu. La scène se termine sur l'ordre qu'Arnolphe donne à Agnès de chasser Horace la prochaine fois qu'il se présentera, en lui faisant fermer sa porte et en lui jetant une pierre.

ACTE III

1 Arnolphe manifeste sa satisfaction : il a vu de quel air la jeune fille a jeté une pierre à Horace qui insistait pour la revoir. Comme il se dispose à lui tenir des propos édifiants, il congédie les domestiques pour rester seul avec elle.

2 Après un long discours sur toute la reconnaissance que doit lui avoir Agnès pour la bonté qu'il manifeste en l'épousant, il lui donne un recueil de maximes sur le mariage dont il lui demande d'entreprendre à haute voix la lecture. Puis il la congédie.

3 Arnolphe se félicite de la docilité d'Agnès et ironise sur ses contemporains qui prennent le risque d'épouser des femmes d'esprit.

4 Arrive Horace. Arnolphe, amusé, lui fait raconter comment il a été chassé par la belle Agnès dont le jaloux est rentré : elle lui a même jeté une pierre ! Arnolphe de plus en plus amusé, exhorte Horace à ne point perdre courage et le jeune homme lui confie alors qu'il a reçu, en même temps que la pierre, une lettre dont il lui donne lecture. Arnolphe a beaucoup de peine à conserver son sang-froid.

5 Resté seul, Arnolphe se lamente sur la trahison d'Agnès dont il se sent amoureux.

ACTE IV

1 Arnolphe est seul. Il exprime tout à la fois sa colère pour la tromperie d'Agnès, son amour pour sa beauté et sa résolution de ne pas se la laisser enlever.

2-3 Il continue de monologuer sans s'apercevoir que le notaire qu'il avait envoyé chercher est entré. A chacune des questions qu'il se pose à lui-même, le notaire répond doctement sur le contrat qu'il se dispose à établir, comme si Arnolphe s'adressait à lui.
Arnolphe s'aperçoit enfin de la présence de l'individu et le chasse. (Celui-ci, en passant, confie aux domestiques que leur maître est fou.)

4 Arnolphe fait répéter à Alain et Georgette ce qu'ils auront à dire et à faire si Horace se présente à nouveau. Cette « répétition » lui coûte sa bourse et lui vaut quelques bourrades.

5 Resté seul, il annonce son intention de charger le savetier du coin de la rue d'espionner les allées et venues à l'entour de la maison.

6 Voici encore Horace. Il ignore toujours qu'Arnolphe est M. de la Souche, le jaloux d'Agnès. Il lui raconte comment, après avoir été introduit dans sa chambre par la jeune fille, il a dû assister, après s'être dissimulé dans une armoire, à une « scène muette » du jaloux qui, après avoir tourné un moment dans la chambre sans rien dire, est reparti, non sans avoir brisé quelques vases et rudoyé le chien. Il ajoute qu'il a un nouveau rendez-vous avec elle, à la nuit, sur son balcon.

7 Arnolphe, à nouveau seul, se désespère devant l'inutilité de toutes ses précautions, mais annonce son intention de se venger la nuit même.

8 Chrysalde arrive, qu'Arnolphe voudrait bien écarter, mais qui devine ce qui se passe et prolonge la discussion sur le cocuage.

9 Arnolphe indique avec précision à Alain et à Georgette comment ils devront s'y prendre pour tendre un piège à Horace et le bâtonner.

ACTE V

1 Arnolphe est sur scène. Il tance vertement ses domestiques qui ont frappé si fort qu'ils ont tué le jeune homme. Puis il les fait rentrer.

2 Horace, qu'on croyait mort, vient raconter à Arnolphe comment il a glissé au moment où les valets se sont précipités pour l'assommer. Il a ensuite fait le mort et Agnès, très inquiète, est descendue. Elle a alors décidé de ne plus revenir dans la maison d'un homme aussi brutal et lui a confié son sort. Horace demande donc à Arnolphe de bien vouloir recueillir la jeune fille en attendant qu'il puisse l'épouser. Arnolphe accepte. Horace part la chercher.

3 Lorsqu'il revient avec Agnès, Arnolphe s'est voilé le visage et se tient dans un coin sans rien dire. Agnès hésite à rester seule avec un inconnu et loin de son amour, mais Horace la rassure et s'en va.

4 Agnès reconnaît alors Arnolphe en l'inconnu à qui Horace vient de la confier. Aux reproches que lui fait Arnolphe, elle répond avec simplicité qu'elle est irrésistiblement attirée par Horace. Après avoir essayé en vain d'émouvoir la jeune fille sur son sort à lui, Arnolphe décide de la jeter dans un couvent.

5 Il la confie à ses domestiques le temps d'aller chercher une voiture.

6 Mais Horace revient, désespéré : Oronte, son père, arrive avec un ami, Enrique, dont il a décidé qu'il épouserait la fille. Le jeune homme demande alors son aide à Arnolphe : qu'il ne dise rien de son aventure, et qu'il tâche de dissuader Oronte d'imposer ce mariage. Arnolphe lui en fait la promesse.

7 Enrique — qui est le beau-frère de Chrysalde — confirme son intention de marier sa fille au fils d'Oronte et, contre toute attente, Arnolphe trahit délibérément Horace en encourageant ce mariage et en dévoilant les réticences du jeune homme. Horace comprend alors le piège où il est tombé lorsqu'il apprend, tout à fait incidemment, l'autre nom d'Arnolphe : M. de la Souche.

8 Georgette interrompt la discussion : on ne peut plus tenir Agnès. On la fait descendre.

9 Arnolphe se dispose à emmener la jeune fille, mais on lui apprend qu'elle est la fille qu'Enrique avait dû confier à une paysanne, et qu'il vient la chercher pour la marier à Horace. Arnolphe s'enfuit alors et les autres personnages le suivent pour tenter d'éclaircir sa conduite.

5 Les sources de la pièce

L'École des femmes est, c'est évident, une comédie d'acteur, c'est-à-dire une pièce dominée par le souci de mettre en valeur les interprètes : Molière se réservait le rôle d'Arnolphe, qui est considérable puisque sur cinq actes le personnage ne quitte la scène qu'une seule fois, et pour un bien court moment. Mais c'est aussi une comédie d'acteur en ce qu'elle procède des canevas[1] de la tradition comique : *L'Astuta simplicità di Angiola*[2], par exemple, ou d'œuvres construites d'après ces canevas : *La Précaution inutile* de Scarron, inspirée de la nouvelliste espagnole Maria de Zayas y Sotomayor, ou bien encore la comédie de Boisrobert que Molière avait jouée encore pendant la saison 1659-1660, *La Folle Gageure*, et qui n'était elle-même que l'adaptation d'une œuvre de Lope de Vega : *El mayor imposible* (« le comble de l'impossible »).

On pourrait citer encore de nombreux noms d'auteurs dont Molière pouvait s'inspirer, et on n'y manqua pas en 1662-1663 pour crier au plagiat, parce que ce thème de la jalousie trompée par l'amour appartient

---

1 *canevas :* ce terme désigne le schéma général d'une pièce sur lequel les comédiens devaient improviser à chaque représentation.

2 « Angèle, l'habile ingénue » ; comme c'est souvent le cas, ce canevas est anonyme.

au vieux fonds comique et que, par conséquent, il a reçu des traitements variés à des époques différentes. Molière connaissait ce vieux fonds, il y a naturellement puisé sans qu'il soit toujours possible de dire avec certitude si telle ou telle influence a été prédominante. « Il prend son bien partout, de tout il fait *son bien.* » (R. Bray).

Ce qui est assuré, c'est qu'avec ces sources Molière composa une comédie en cinq actes et en vers dont la pérennité du succès nous garantit l'originalité.

6 Structure de la comédie

Toute la pièce se déroule du point de vue d'Arnolphe qui ne quitte la scène qu'une seule fois (II, 3). Tout s'organise donc autour de lui qui tente en vain de préserver un monde qu'il s'est constitué pour lui tout seul. L'action se déroule sur une perpétuelle fluctuation du personnage : à chaque fois qu'Arnolphe croit avoir l'initiative, il connaît un nouvel échec. En même temps, si chacun de ses échecs le fait reculer un peu plus — jusqu'à le faire disparaître — Horace, d'un mouvement symétrique, gagne un peu plus de place jusqu'à rester seul maître du terrain.

I	• Arnolphe, sûr de lui, assure qu'il ne craint pas d'être trompé : sa future femme est l'innocence même et les domestiques qui la gardent sont aussi simples qu'elle. **La réalité de ses rapports avec ses domestiques le dément sans qu'il s'en doute. Il apprend, en outre, le début de la liaison d'Agnès et d'Horace.**
II	• Arnolphe obtient d'Agnès la promesse qu'elle chassera le galant.
III	Il triomphe même lorsqu'elle lui a jeté une pierre : il va l'épouser. **Horace lui apprend qu'elle a jeté une lettre avec la pierre.**
IV	• Arnolphe dresse ses serviteurs à éconduire le galant et s'assure les services d'un espion. **Il apprend que le jeune homme a réussi à parvenir dans la chambre d'Agnès et qu'il a obtenu un nouveau rendez-vous.** • Arnolphe prépare un guet-apens pour Horace. **La ruse a échoué et le jeune homme a enlevé Agnès.**
V	• Arnolphe se trouve, providentiellement, maître de la situation : il tient Agnès. **C'est l'échec final dans la découverte d'une parenté qui l'élimine. Il disparaît.**

Certains de ses contemporains ont reproché à l'auteur un manque de rigueur dans la construction de sa comédie : « Je viens de voir, pour mes péchés, cette méchante rapsodie de *L'École des femmes* », déclare la précieuse Climène à la scène 3 de la *Critique*. En fait, elle n'a pas vu, ou pas voulu voir, que c'est le ballottement continu d'Arnolphe qui crée le mouvement de la pièce : chaque nouvel effort qu'il fait pour se maintenir contribue à l'éliminer au profit d'Horace.

A n'en pas douter, cette structure, très simple et très dynamique, vient tout droit de la farce.

7 Les personnages

La comédie de *L'École des femmes* ne comporte, pour l'essentiel, que trois personnages. Avec les rôles secondaires, elle ne demande que six acteurs et deux actrices. Cela peut paraître étonnant de la part d'un auteur-directeur de troupe qui prenait toujours soin de donner à ses comédiens une place dans chacun des spectacles qu'il montait. On peut trouver une explication « technique » à cette économie d'acteurs : la troupe traversait une période d'instabilité dans sa composition. Depuis trois ans les départs se succédaient (retraites aussi bien qu'éloignements volontaires), et l'on peut penser que Molière écrivit une comédie dont il limita les rôles faute de disposer d'un effectif suffisant de comédiens stables. Mais il vient une autre explication : la complexité des personnages, la difficulté de leur élaboration ont pu imposer à Molière, qui voulait exploiter le succès de *L'École des maris*, d'en limiter le nombre. Cette complexité même nous interdit de prétendre en donner dès maintenant un portrait achevé ; il nous faut nous contenter d'en esquisser la silhouette, quittes à compléter notre peinture après la représentation.

• ARNOLPHE est un bourgeois d'âge mûr, solide, dont le costume, élégant mais sans recherche excessive, nous montre qu'il est aisé. Tout, au cours de la pièce, nous confirme cette première impression : il est assez satisfait de sa richesse (v. 125) et commence à trancher du gentilhomme en se faisant appeler M. de la Souche.

A l'autorité qu'il tire de sa situation d'homme riche, il joint un égoïsme brutal qui le rendrait bien inquiétant s'il n'était, en même temps, tout à fait ridicule : il est incapable de se faire obéir de ses domestiques qui désamorcent ses plus grands accès de colère et il se fait prendre au piège qu'il a lui-même tendu à une jeune ingénue.

• AGNÈS est ravissante. C'est une toute jeune fille (moins de 20 ans) dont le charme est sans artifice : son costume est d'une grande sobriété, d'une grande austérité même ; ainsi en a décidé son tuteur qui ne se soucie pas de faire de sa future épouse une coquette.

Le rôle de cette jeune fille est central, puisqu'elle est l'objet même de la rivalité qui oppose Arnolphe et Horace (sans que ce dernier s'en doute), mais il est assez court : 150 vers, à peine. Cela s'explique, en partie parce que Molière a choisi de nous faire connaître l'essentiel de son aventure avec Horace par l'intermédiaire de récits. Ainsi cette gracieuse débutante qui est l'âme même de la comédie n'apparaît-elle que quatre fois avant le dénouement. Une autre raison est qu'Agnès est une jeune fille — trop — bien élevée qui ne parle que lorsqu'on lui adresse la parole et que, par conséquent, il n'est pas question d'attendre d'elle qu'elle débite de grandes tirades. Quoi qu'il en soit, cette jeune personne ne se départira jamais de sa franchise naturelle.

• HORACE, enfin, est un jeune homme (25 ans au plus) tout à fait charmant, issu d'une famille bourgeoise comparable à celle d'Arnolphe avec qui son père est lié d'amitié. Il n'a pas la stature de son rival, mais sa silhouette est plus mince, plus petite, plus fragile. Cette impression de délicatesse est renforcée par l'élégance d'un costume qui, sans tomber dans l'exubérance, témoigne d'une certaine recherche. Mais il n'est pas non plus l'amoureux transi qui remet sa destinée entre les mains d'un valet déluré. S'il s'est acquis les services d'une vieille entremetteuse pour se ménager la première entrevue avec la belle qu'il a remarquée, très vite il apprend à se passer d'elle et sait fort bien faire avancer ses affaires.

Mais à aucun moment nous n'avons d'inquiétude sur l'honnêteté de sa conduite : nous savons que lorsqu'elle le rencontre Agnès se trouve en fort bonne compagnie, et la suite de la comédie nous montre que nous avons raison.

• LES AUTRES

Alain et Georgette. Les serviteurs sont, par tradition, les dépositaires privilégiés du comique. Dans *L'École des femmes*, il n'en est pas ainsi. Les deux paysans qu'Arnolphe a choisis pour garder Agnès ne se manifestent que d'une manière épisodique. Certes chacune de leurs apparitions est l'occasion d'échanges farcesques, mais ils ne sont guère sympathiques : leur stupidité, leur veulerie, leur manque d'attachement à Agnès aussi bien qu'à leur maître font que, s'ils aident à souligner le ridicule domestique d'Arnolphe, ils sombrent avec lui dans le rire qu'ils provoquent.

Le notaire. Molière pouvait-il faire une comédie sans utiliser la grande robe noire, la longue perruque blanche et les grosses lunettes, attributs de la Science ? Quoi qu'il en soit, notre notaire, qui ne fait qu'une très brève apparition est, bien sûr, ridicule, comme tous les notaires de Molière.

Chrysalde, Enrique, Oronte. On peut présenter en même temps ces trois personnages, amis d'Arnolphe, qui appartiennent au même milieu de bourgeoisie aisée que lui, et qui ne s'en distinguent que par leur taille, leur embonpoint ou les couleurs de leur costume. C'est à peine si l'on peut reconnaître à Enrique une nuance d'originalité, un je ne sais quoi d'exotique.

Le mieux connu de nous, c'est bien entendu Chrysalde, qu'on voit se disputer avec Arnolphe dans deux grandes scènes. Encore faut-il préciser que cette connaissance que nous avons de lui est tout à fait superficielle : il a sur le mariage en particulier, des opinions différentes de celles d'Arnolphe, mais comme il n'hésite pas à manier le paradoxe pour agacer un peu son ami, il n'est pas bien aisé de préciser sa « théorie ».

8 Originalité de L'École des femmes

A Une comédie d'acteur

Comme nombre des comédies de Molière, *L'École des femmes* est, nous l'avons dit, une comédie d'acteur, c'est-à-dire une œuvre dramatique dont la création a été, en grande partie, conditionnée par le souci de mettre en valeur le talent de certains comédiens. Il est clair, en effet, que les trois principaux rôles ont été écrits pour un acteur précis et qu'ils permettent à chacun de réaliser un véritable « numéro ».

• *Le rôle d'Arnolphe*, très important puisque le personnage ne quitte pratiquement pas la scène de toute la comédie, avait été écrit pour Molière lui-même, qui le tint. Il exige du comédien une présence, une variété dans les registres, qui ont toujours fasciné les plus grands interprètes. Nous avons d'ailleurs des indications sur la façon dont Molière l'entendait : à la scène 6 de *La Critique de l'École des femmes*, Molière fait dire à Lysidas : « Et ce Monsieur de la Souche enfin, qu'on nous fait un homme d'esprit, et qui paraît si sérieux en tant d'endroits, ne descend-il point dans quelque chose de trop comique et de trop outré au cinquième acte, lorsqu'il explique à Agnès la violence de son amour, avec ces roulements d'yeux extravagants, ces soupirs ridicules et ces larmes niaises qui font rire tout le monde ? »

• *Le rôle d'Agnès*, quant à lui, avait été écrit pour Mlle De Brie qui faisait partie de la troupe depuis 1650 et qui fut sans doute la meilleure recrue que Molière ait jamais faite : sa grâce et sa beauté lui permettaient de tenir avec éclat le rôle de « jeune première » et c'est pour elle que Molière avait fait celui d'Isabelle dans *L'École des maris*. Elle avait 33 ans lorsqu'elle créa le rôle et elle continua de le tenir jusqu'à 60 ans. C'est dire assez si elle se considérait comme la propriétaire d'un personnage que Molière avait fait en pensant à elle. Il est d'ailleurs tout à fait remarquable que ce rôle d'ingénue fascine, lui aussi, les interprètes et constitue un des rôles essentiels pour les élèves du Conservatoire.

• *Le rôle du jeune premier*, celui d'Horace, fut tenu lors de la création par l'acteur La Grange. Ce comédien d'à peine plus de vingt ans était presque nouveau venu dans la troupe (il y était entré en 1659 en même temps que Du Croisy) et y avait fait forte impression. On ne saurait douter que Molière pensait à lui, à sa démarche gracieuse, à son air un peu naïf et aimable, en constituant le personnage du jeune homme loyal et passionné qui doit ravir Agnès à son barbon.

Donneau de Visé nous confirme d'ailleurs, s'il en était besoin, que les contemporains y avaient bien vu une comédie d'acteur : « Il a pris soin de faire jouer si bien ses compagnons que l'on peut dire que tous les acteurs qui jouent dans la pièce sont des originaux que les plus habiles maîtres de ce bel art pourront difficilement imiter. »

B Une « grande comédie »

L'École des femmes est considérée, à juste titre, comme la première « grande comédie » de Molière. C'est-à-dire qu'elle est la première qui soit en cinq actes et en vers, et que les procédés comiques qu'elle met en œuvre se distinguent, pour l'ensemble, de ceux de la farce, en ce que le rire naît de l'image qui est donnée des caractères ou des mœurs. En d'autres termes, c'est une œuvre dramatique où les masques sont tombés et ont dévoilé des personnages dont le caractère est complexe. Si les rapports qu'entretiennent ces personnages entre eux continuent de provoquer le rire, ce n'est pas par la grossièreté des mots échangés non plus que par les gestes qu'ils font, c'est davantage par le piquant d'une situation qui les oppose ou les réunit les uns aux autres.

• *Comédie de caractères*, c'est-à-dire que chacun des personnages qui la composent a sa cohérence propre : une fois que l'auteur les a mis sur la scène, il n'est plus libre de leur faire dire ce qu'il veut. Il est tenu par la logique propre à chacun d'eux et l'action avance par le rapprochement ou l'opposition de ces personnages autonomes : si le personnage d'Agnès évolue au cours de la comédie, comme il est normal pour un être en contact avec d'autres, il est tout à fait remarquable, cependant, qu'elle ne se départit jamais de son honnêteté foncière. Sans doute trompe-t-elle Arnolphe de la plus belle manière, mais c'est avec une candeur toujours égale. Dans cette atmosphère, même les personnages les plus farcesques acquièrent une certaine « épaisseur » : c'est le cas, par exemple, des serviteurs dont le ridicule révèle la veulerie intéressée.

• *L'École des femmes* est aussi une *comédie d'intrigue*, et ce n'est pas un paradoxe : si son intrigue est particulièrement simple, en apparence, elle dissimule une complexité réelle qui ne doit pas nous échapper. Toute action d'Arnolphe pour rester maître d'Agnès ne fait que l'éliminer et marque un progrès dans l'amour des deux jeunes gens. Mais dans le même temps Arnolphe est lui-même le témoin de ses propres échecs par l'intermédiaire du récit que lui en font naïvement Agnès et Horace. Le récit joue en effet dans cette comédie un grand rôle : non seulement il dispense de montrer un certain nombre d'actions tout en permettant de concentrer l'attention de l'auditeur sur certains aspects de cette action qui auraient pu lui échapper si on s'était contenté de lui en donner le spectacle, mais en outre il est un élément même de l'intrigue puisqu'il donne à Arnolphe les moyens d'agir en lui montrant la vanité de ses précédents efforts. Il est, de plus, l'occasion de faire naître le rire par la situation où il met Arnolphe, contraint d'écouter le récit de ses infortunes sans rien laisser paraître de son trouble pour ne pas se trahir.

Cette utilisation du récit a pu paraître abusive : « Peut-on souffrir une pièce qui pèche contre le nom propre des pièces de théâtre ? Car enfin le nom de poème dramatique vient d'un mot grec qui signifie agir, pour montrer que la nature de ce poème consiste dans l'action ; et dans cette comédie-ci, il ne se passe point d'actions, et tout consiste en des récits que vient faire ou Agnès ou Horace. » (*Critique de l'École des femmes* sc. VI, dans la bouche de Lysidas, l'auteur dramatique.) C'était là refuser de voir le caractère original de la comédie qui donne à l'histoire connue — trop connue — du jaloux trompé une dimension particulière.

• C'est une *comédie de mœurs*, enfin, parce que Molière y peint des représentants d'une haute bourgeoisie provinciale, égoïstes jusqu'à en être monstrueux et qui considèrent que les êtres et les choses doivent se soumettre à leur autorité. Tout leur est bon pour leur entreprise, la déloyauté qui leur fait arracher à leurs amis des confidences qui les trahissent aussi bien que l'hypocrisie qui consiste à détourner la signification de l'enseignement chrétien à leur profit. Comédie de mœurs aussi en ce que ces personnages sont montrés confrontés au problème qui resta longtemps d'une brûlante actualité : celui de la liberté qu'on doit laisser ou non aux jeunes gens — Horace est concerné autant qu'Agnès (v. 1630) — de choisir eux-mêmes leur conjoint.

C Une comédie qui fait rire

Mais toutes ces considérations ne doivent pas nous cacher l'essentiel : le rire, et le rire sous toutes ses formes. Si l'on en croit les témoignages de l'époque, les contemporains se tenaient les côtes d'un bout à l'autre du spectacle. Et ce qui est assuré, c'est que, de nos jours, la représentation est encore l'objet de continuels éclats de rire. Quoi de plus naturel, puisque Molière avait écrit le personnage d'Arnolphe pour permettre à l'acteur qui tient le rôle — lui-même en l'occurrence — de faire un numéro complet, depuis celui du maître de maison rudoyé par ses propres serviteurs à qui il est en train de faire la leçon jusqu'au vieux bourgeois amoureux qui se contorsionne pour tâcher d'éveiller l'intérêt et la compassion d'une jeune innocente, en passant par le jaloux auquel une confiance naïve fait subir mille tourments.

L'École des femmes n'est pas une comédie à thèse et son titre ne doit pas nous abuser : Molière n'a pas d'intentions pédagogiques, il rappelle simplement le titre d'une pièce qui lui a valu le succès et qu'on ne peut guère soupçonner d'être une comédie à thèse : *L'École des maris*. Certes le débat d'idées sur lequel repose la comédie est digne d'intérêt et constitue une des disputes les plus remarquables de son temps : le rôle de la femme dans la famille et dans la société. Mais ce choix du thème ne signifie nullement que Molière comptait exposer une thèse, comme l'a très bien montré R. Bray : « S'il était le moraliste qu'on croit, il aurait d'ailleurs exposé ses idées avec plus de cohérence... Sur le droit d'une fille à choisir son mari, la leçon qu'on pourrait dégager des *Précieuses* est exactement opposée à celle de *L'École des femmes.* »

En réalité, la leçon nous paraît plus universelle que ne le pourrait être telle ou telle prise de position sur tel ou tel problème historique daté : c'est la leçon du rire. Cela implique que l'homme adopte des attitudes ou des comportements qui sont en rupture avec l'image que sa culture, sa réflexion morale ou tout simplement son instinct lui ont donnée de lui-même et que c'est cette rupture qui provoque le rire. En d'autres termes, Arnolphe fait rire parce que sa prétention à se faire une femme toute à lui constitue, sans même qu'il s'en rende compte, une attitude en contradiction avec l'ordre naturel et l'ordre social, même si cette prétention est, en partie, justifiée par le désir de ne pas tomber dans certains travers de la société. Le problème du mariage n'est donc ici qu'un avatar particulier de quelque chose de plus essentiel et qui pourrait bien être les rapports de l'homme au monde.

Bibliographie

R. Jasinski, *Molière*, Hatier, 1970.
A. Simon, *Molière par lui-même*, Paris, Seuil, 1957.
R. Fernandez, *La Vie de Molière*, Paris, Gallimard, 1929.
A. Adam, *Histoire de la littérature française au XVIIe siècle*, tome III, Paris, Domat, 1952.

Discographie

L'École des femmes, 2 disques, coll. « Vie du Théâtre », Hachette.
Hommage à Molière, coll. « Théâtre des Hommes », Hachette.

Épître dédicatoire

A MADAME[1]

MADAME,

Je suis le plus embarrassé homme du monde lorsqu'il me faut dédier un livre, et je me trouve si peu fait au style d'épître dédicatoire que je ne sais par où sortir de celle-ci. Un autre auteur qui serait à ma place trouverait d'abord cent belles choses à dire à VOTRE ALTESSE ROYALE sur le titre de l'ÉCOLE DES FEMMES et l'offre qu'il vous en ferait. Mais pour moi, MADAME, je vous avoue mon faible [2]. Je ne sais point cet art de trouver des rapports entre des choses si peu proportionnées ; et, quelques belles lumières que mes confrères les auteurs me donnent tous les jours sur de pareils sujets, je ne vois point ce que VOTRE ALTESSE ROYALE pourrait avoir à démêler avec la comédie que je lui présente. On n'est pas en peine, sans doute, comment [3] il faut faire pour vous louer. La matière, MADAME, ne saute que trop aux yeux, et, de quelque côté qu'on vous regarde, on rencontre gloire sur gloire et qualités sur qualités. Vous en avez, MADAME, du côté du rang et de la naissance, qui vous font respecter de toute la terre. Vous en avez du côté des grâces et de l'esprit et du corps, qui vous font admirer de toutes les personnes qui vous voient. Vous en avez du côté de l'âme, qui, si l'on ose parler ainsi, vous font aimer de tous ceux qui ont l'honneur d'approcher de vous, je veux dire cette douceur pleine de charmes dont vous daignez tempérer la fierté des grands titres que vous portez ; cette bonté toute obligeante, cette affabilité généreuse, que vous faites paraître pour tout le monde, et ce sont particulièrement ces dernières pour qui je suis, et dont je sens fort bien que je ne me pourrai taire quelque jour. Mais, encore une fois, MADAME, je ne sais point le biais de faire entrer ici des vérités si éclatantes, et ce sont choses, à mon avis, et d'une trop vaste étendue et d'un mérite trop relevé pour les vouloir renfermer dans une épître et les mêler avec des bagatelles. Tout bien considéré, MADAME, je ne vois rien à faire ici pour moi que de dédier simplement ma comédie, et de vous assurer, avec tout le respect qu'il m'est possible, que je suis de VOTRE ALTESSE ROYALE,

MADAME, le très-humble, très-obéissant et très-obligé serviteur,

J.-B. MOLIÈRE.

---

1 *Madame* : la femme de Monsieur, frère de Louis XIV, c'est-à-dire Henriette d'Angleterre.

2 *mon faible* : ma faiblesse.

3 *comment* : pour savoir comment.

Préface

Bien des gens ont frondé d'abord [1] cette comédie ; mais les rieurs ont été pour elle, et tout le mal qu'on en a pu dire n'a pu faire qu'elle n'ait eu un succès dont je me contente. Je sais qu'on attend de moi, dans cette impression [2], quelque préface qui réponde aux censeurs et rende raison de mon ouvrage ; et sans doute que je suis assez redevable à toutes les personnes qui lui ont donné leur approbation, pour me croire obligé de défendre leur jugement contre celui des autres ; mais il se trouve qu'une grande partie des choses que j'aurais à dire sur ce sujet est déjà dans une dissertation [3] que j'ai faite en dialogue, et dont je ne sais encore ce que je ferai. L'idée de ce dialogue, ou, si l'on veut, de cette petite comédie, me vint après les deux ou trois premières représentations de ma pièce. Je la dis, cette idée, dans une maison où je me trouvai un soir ; et d'abord une personne de qualité, dont l'esprit est assez connu dans le monde, et qui me fait l'honneur de m'aimer, trouva le projet assez à son gré, non seulement pour me solliciter d'y mettre la main, mais encore pour l'y mettre lui-même ; et je fus étonné que deux jours après il me montra toute l'affaire exécutée d'une manière, à la vérité, beaucoup plus galante et plus spirituelle que je puis faire, mais où je trouvai des choses trop avantageuses pour moi ; et j'eus peur que, si je produisais cet ouvrage sur notre théâtre, on ne m'accusât d'abord d'avoir mendié les louanges qu'on m'y donnait. Cependant cela m'empêcha, par quelque considération, d'achever ce que j'avais commencé. Mais tant de gens me pressent tous les jours de le faire que je ne sais ce qui en sera, et cette incertitude est cause que je ne mets point dans cette Préface ce qu'on verra dans la *Critique*, en cas que je me résolve à la faire paraître. S'il faut que cela soit, je le dis encore, ce sera seulement pour venger le public du chagrin délicat de certaines gens [4], car, pour moi, je m'en tiens assez vengé par la réussite de ma comédie ; et je souhaite que toutes celles que je pourrai faire soient traitées par eux comme celle-ci, pourvu que le reste suive de même.

---

1 *ont frondé d'abord :* ont tout de suite attaqué.
2 *dans cette impression :* dans cette édition.
3 *une dissertation :* un discours. Il s'agit de *La Critique de l'École des femmes.*
4 *du chagrin délicat de certaines gens :* de la facilité qu'ont certaines gens à se fâcher.

Je la fis élever selon ma politique (acte I, scène 1, v. 136). Tableau anonyme, Maison de Saint-Cyr (Musée Carnavalet).

Molière, dans le rôle d'Arnolphe, 1670 (Comédie-Française).

Abraham Bosse : *Le Mariage* (Bibliothèque Nationale).

Jacques Callot :
Les Cornes
(Bibliothèque Nationale).

Chauveau :
Gravure pour l'édition
de 1666.

Molière dans
le rôle d'Arnolphe,
1670
(Comédie-Française).

Veux-tu que je me tue ? Oui, dis si tu le veux (acte V, scène 4, v. 1603). Illustration de Desenne.

Entre de telles mains, vous ne serez que bien (acte V, scène 3, v. 1475). Gravure d'après Coypel.

Je l'ai mise à l'écart, comme il faut tout prévoir,
Dans cette autre maison où nul ne me vient voir

Décor de Christian Bérard. Athénée, 1936.

Décor de S. Lalique. Comédie-Française, 1958.

Décor de C. Vénard. T. N. P., 1958.

Décor de J. Le Marquet. Comédie-Française, 1973.

C'est Agnès qu'on l'appelle.
La Souche plus qu'Arnolphe à mes oreilles plaît.

Madeleine Renaud.
Comédie-Française, 1921.

Madeleine Ozeray.
Athénée, 1936.

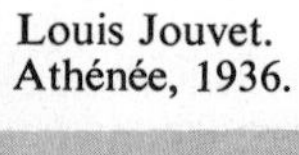

Louis Jouvet.
Athénée, 1936.

Pierre Renoir.
Compagnie Louis Jouvet, 1951.

Claudine Berthier, 1967.
Théâtre national de Strasbourg.

Isabelle Adjani.
Comédie-Française, 1973.

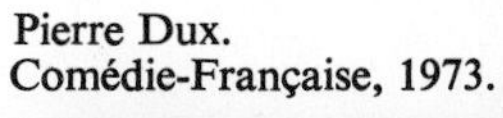

Pierre Dux.
Comédie-Française, 1973.

G. Wilson. T. N. P, 1958.

Je devine à peu près quel est votre supplice (acte V, scène 9, v. 1760).
L. Arbessier, P. Dux et G. Riquier. Comédie-Française, 1973.

La femme est en effet le potage de l'homme (acte II, scène 3, v. 436). Comédie-Française, 1973.

Mais il faut qu'en ami je vous montre la lettre (acte III, scène 4, v. 940). R. Aquaviva et P. Dux. Comédie-Française, 1973.

Me laissez-vous, Horace, emmener de la sorte ? (acte V, scène 9, v. 1724). Isabelle Adjani. Comédie-Française, 1973.

Liste des personnages

ARNOLPHE
autrement M. de la Souche.

AGNÈS
jeune fille innocente élevée par Arnolphe.

HORACE
amant d'Agnès.

ALAIN
paysan, valet d'Arnolphe.

GEORGETTE
paysanne, servante d'Arnolphe.

CHRYSALDE
ami d'Arnolphe.

ENRIQUE
beau-frère de Chrysalde.

ORONTE
père d'Horace et grand ami d'Arnolphe.

LE NOTAIRE

La scène est dans une place de ville.

L'École des femmes

Comédie
1662

ACTE I

SCÈNE PREMIÈRE : CHRYSALDE, ARNOLPHE

CHRYSALDE

Vous venez, dites-vous, pour lui donner la main• ?

ARNOLPHE

Oui, je veux terminer la chose dans demain•.

CHRYSALDE

Nous sommes ici seuls, et l'on peut, ce me semble,
Sans crainte d'être ouïs•, y discourir ensemble.
5 Voulez-vous qu'en ami je vous ouvre mon cœur ?
Votre dessein pour vous me fait trembler de peur ;
Et, de quelque façon que vous tourniez l'affaire,
Prendre femme est à vous• un coup bien téméraire.

ARNOLPHE

Il est vrai, notre ami•, peut-être que chez vous
10 Vous trouvez des sujets de crainte pour chez nous ;
Et votre front, je crois, veut que du mariage
Les cornes• soient partout l'infaillible apanage•.

---

1 *lui donner la main :* l'épouser.
2 *dans demain :* dans la journée de demain. Cet usage de la préposition s'est conservé dans des expressions du type « dans une heure ».
4 *ouïs :* entendus ; le verbe ouïr, dont la conjugaison était irrégulière, n'est plus guère usité.
8 *à vous :* pour vous ; *à* exprime le point de vue.
9 *notre ami :* mon ami. L'emploi de l'adjectif possessif du pluriel marque le ton supérieur qu'emploie Arnolphe.
12 *les cornes :* le « signe distinctif » du mari trompé.
l'infaillible apanage : l'inévitable ornement ; l'apanage est, à l'origine, le bien qu'un roi réserve à son fils cadet.

CHRYSALDE

Ce sont coups du hasard, dont on n'est point garant•
Et bien sot, ce me semble, est le soin qu'on en prend.
15 Mais, quand je crains pour vous, c'est cette raillerie•
Dont cent pauvres maris ont souffert la furie• ;
Car enfin vous savez qu'il n'est grands ni petits•
Que de votre critique on ait vus garantis ;
Car vos plus grands plaisirs sont, partout où vous êtes,
20 De faire cent éclats des intrigues secrètes...

ARNOLPHE

Fort bien : est-il au monde une autre ville aussi
Où l'on ait des maris si patients qu'ici ?
Est-ce qu'on n'en voit pas de toutes les espèces,
Qui sont accommodés chez eux de toutes pièces• ?
25 L'un amasse du bien, dont sa femme fait part
A ceux qui prennent soin de le faire cornard• ;
L'autre, un peu plus heureux, mais non moins infâme,
Voit faire tous les jours des présents à sa femme,
Et d'aucun soin• jaloux n'a l'esprit combattu
30 Parce qu'elle lui dit que c'est pour sa vertu.
L'un fait beaucoup de bruit, qui ne lui sert de guères• ;
L'autre en toute douceur laisse aller les affaires,
Et, voyant arriver chez lui le damoiseau•,
Prend fort honnêtement• ses gants et son manteau.

---

13 *dont on n'est point garant :* dont on ne peut garantir qu'ils ne se produiront pas.
15 *mais, quand je crains pour vous, c'est cette raillerie :* nous dirions aujourd'hui « mais ce que je crains... c'est... ».
16 *la furie :* la violence extrême.
17 *qu'il n'est grands ni petits :* qu'il n'existe de personnages de condition sociale élevée ou modeste.
24 *accommodés chez eux de toutes pièces :* maltraités, chez eux, de toutes les façons.
26 *cornard :* cocu (porteur de cornes).
29 *soin :* souci.
31 *qui ne lui sert de guères :* qui ne lui sert pas à grand-chose.
33 *le damoiseau :* le jeune homme, c'est-à-dire ici l'homme qui courtise sa femme.
34 *fort honnêtement :* d'une manière tout à fait polie.

35 L'une de son galant• en adroite femelle,
Fait fausse confidence• à son époux fidèle,
Qui dort en sûreté sur un pareil appas•,
Et le plaint, ce galant, des soins qu'il ne perd pas• ;
L'autre, pour se purger de sa magnificence•,
40 Dit qu'elle gagne au jeu l'argent qu'elle dépense,
Et le mari benêt•, sans songer à quel jeu,
Sur• les gains qu'elle fait rend des grâces à Dieu.
Enfin ce sont partout des sujets de satire ;
Et, comme spectateur, ne puis-je pas en rire ?
45 Puis-je pas• de nos sots...

CHRYSALDE

Oui ; mais qui rit d'autrui
Doit craindre qu'en revanche• on rie aussi de lui.
J'entends parler le monde, et des gens se délassent
A venir débiter• les choses qui se passent ;
Mais, quoi que l'on divulgue• aux endroits où je suis,
50 Jamais on ne m'a vu triompher de ces bruits• ;
J'y suis assez modeste• ; et, bien qu'aux occurrences•
Je puisse condamner certaines tolérances,
Que mon dessein ne soit de souffrir• nullement
Ce que d'aucuns maris• souffrent paisiblement,

---

35 *son galant :* celui qui la courtise.
36 *fait fausse confidence :* fait une confidence qui trompe.
37 *un appas :* une ruse.
38 *et le plaint, ce galant, des soins qu'il ne perd pas :* et plaint celui qui courtise sa femme avec quelque succès.
39 *se purger de sa magnificence :* expliquer ses dépenses importantes.
41 *benêt :* sot.
42 *sur :* au sujet de.
45 *puis-je pas :* l'ellipse de la négation *ne* est courante dans la construction interro-négative au XVIIe siècle.
46 *en revanche :* en retour.
48 *débiter :* raconter.
49 *quoi que l'on divulgue :* quelles que soient les histoires que l'on raconte.
50 *triompher de ces bruits :* être ravi de ces ragots.
51 *modeste :* discret.
aux occurrences : quand cela se produit.
53 *souffrir :* supporter.
54 *d'aucuns maris :* certains maris.

55 Pourtant je n'ai jamais affecté de• le dire :
Car enfin il faut craindre un revers• de satire
Et l'on ne doit jamais jurer, sur de tels cas,
De ce qu'on pourra faire ou bien ne faire pas.
Ainsi, quand à mon front, par un sort qui tout mène,
60 Il serait arrivé quelque disgrâce humaine,
Après mon procédé•, je suis presque certain
Qu'on se contentera de s'en rire sous main• ;
Et peut-être qu'encor j'aurai cet avantage
Que quelques bonnes gens diront que c'est dommage.
65 Mais de vous, cher compère•, il en est autrement :
Je vous le dis encor, vous risquez diablement.
Comme sur les maris accusés de souffrance•
De tout temps votre langue a daubé d'importance•,
Qu'on vous a vu contre eux un diable déchaîné,
70 Vous devez marcher droit pour n'être point berné• ;
Et, s'il faut que sur vous on ait la moindre prise,
Gare qu'aux carrefours on ne vous tympanise•,
Et...

ARNOLPHE

Mon Dieu, notre ami, ne vous tourmentez point ;
Bien huppé• qui pourra m'attraper sur ce point.
75 Je sais les tours rusés et les subtiles trames•
Dont, pour nous en planter•, savent user les femmes,
Et comme• on est dupé par leurs dextérités• ;

---

55 *je n'ai jamais affecté de :* je n'ai jamais mis de complaisance à.
56 *un revers :* un retour.
61 *après mon procédé :* après l'attitude que j'ai eue.
62 *rire sous main :* rire sans faire d'éclat, en cachette.
65 *cher compère :* cher ami.
67 *accusés de souffrance :* accusés de complaisance.
68 *a daubé d'importance :* a beaucoup plaisanté.
70 *berné :* tourné en ridicule.
72 *on ne vous tympanise :* on ne vous décrie publiquement.
74 *bien huppé :* bien habile.
75 *les trames :* les machinations.
76 *pour nous en planter :* pour nous faire porter des cornes.
77 *comme :* comment.
leurs dextérités : leurs ruses.

Contre cet accident j'ai pris mes sûretés•,
Et celle que j'épouse a toute l'innocence
80 Qui• peut sauver mon front de maligne influence•.

CHRYSALDE

Et que prétendez-vous qu'une sotte•, en un mot...

ARNOLPHE

Épouser une sotte est pour• n'être point sot•.
Je crois, en bon chrétien, votre moitié• fort sage ;
Mais une femme habile est un mauvais présage,
85 Et je sais ce qu'il coûte à de certaines gens
Pour avoir pris les leurs avec trop de talents•.
Moi, j'irais me charger d'une spirituelle•
Qui ne parlerait rien que• cercle• et que ruelle•,
Qui de prose et de vers ferait de doux écrits,
90 Et que visiteraient marquis et beaux esprits,
Tandis que, sous le nom du mari de Madame,
Je serais comme un saint que pas un ne réclame• ?
Non, non, je ne veux point d'un esprit qui soit haut,
Et femme qui compose• en sait plus qu'il ne faut.
95 Je prétends que• la mienne, en clartés peu sublime•,

---

78 *mes sûretés :* mes précautions.
80 *toute l'innocence/qui :* assez d'innocence pour.
maligne influence : influence néfaste (terme d'astrologie).
81 *et que prétendez-vous qu'une sotte :* et qu'attendez-vous qu'une sotte.
82 *est pour :* a pour but de.
sot : cocu.
83 *votre moitié :* votre femme.
86 *avec trop de talents :* pourvues de trop de qualités (d'intelligence).
87 *une spirituelle :* une intellectuelle.
88 *qui ne parlerait rien que :* dont le seul sujet de conversation serait.
cercle : réunion mondaine.
ruelle : alcôve,où certaines précieuses recevaient leurs amis.
92 *un saint que pas un ne réclame :* un saint que personne n'invoque plus (locution proverbiale).
94 *femme qui compose :* une femme qui compose des vers ou écrit des romans.
95 *je prétends que :* je veux que.
en clartés peu sublime : peu remarquable par ses connaissances.

Même ne sache pas ce que c'est qu'une rime,
Et s'il faut qu'avec elle on joue au corbillon•,
Et qu'on vienne à lui dire à son tour : « Qu'y met-on ? »
Je veux qu'elle réponde : « Une tarte à la crème » ;
100 En un mot qu'elle soit d'une ignorance extrême ;
Et c'est assez pour elle, à vous en bien parler•,
De savoir prier Dieu, m'aimer, coudre et filer.

CHRYSALDE

Une femme stupide est donc votre marotte• ?

ARNOLPHE

Tant, que• j'aimerais mieux une laide bien sotte
105 Qu'une femme fort belle avec beaucoup d'esprit.

CHRYSALDE

L'esprit et la beauté...

ARNOLPHE

L'honnêteté suffit.

CHRYSALDE

Mais comment voulez-vous, après tout, qu'une bête
Puisse jamais savoir ce que c'est qu'être honnête ?
Outre qu'il est assez ennuyeux, que je croi•,
110 D'avoir toute sa vie une bête avec soi,
Pensez-vous le bien prendre, et que• sur votre idée
La sûreté d'un front• puisse être bien fondée ?
Une femme d'esprit peut trahir son devoir ;
Mais il faut, pour le moins, qu'elle ose le vouloir ;

---

97 *le corbillon* est un jeu de société au cours duquel chacun des joueurs devait répondre, à la question « que met-on dans mon corbillon ? », de façon que sa phrase rime en *-on*. Le corbillon est aussi un panier où l'on met la pâtisserie.

101 *à vous en bien parler :* pour tout vous dire.

103 *votre marotte :* votre idée fixe.

104 *tant, que :* à tel point que.

109 *que je croi :* l'orthographe étymologique *croi* est une licence qui ne se trouve plus qu'à la rime au XVIIe siècle.

111 *et que :* la conjonction introduit une complétive du verbe penser qui est coordonnée à l'infinitif complément *prendre* (pensez-vous que vous le preniez bien et que).

112 *la sûreté d'un front :* l'assurance de n'être point cocu.

115 Et la stupide au sien peut manquer d'ordinaire•
Sans en avoir l'envie, et sans penser le faire.

ARNOLPHE

A ce bel argument, à ce discours profond,
Ce que• Pantagruel à Panurge répond :
Pressez-moi de me joindre• à femme autre que sotte ;
120 Prêchez, patrocinez• jusqu'à la Pentecôte,
Vous serez ébahi, quand vous serez au bout,
Que vous ne m'aurez rien persuadé du tout.

CHRYSALDE

Je ne vous dis plus mot.

ARNOLPHE

Chacun a sa méthode.
En femme, comme en tout, je veux suivre ma mode•.
125 Je me vois riche assez pour pouvoir, que je croi,
Choisir une moitié qui tienne tout de moi
Et de qui la soumise et pleine dépendance
N'ait à me reprocher aucun bien ni naissance.
Un air• doux et posé, parmi d'autres enfants,
130 M'inspira de l'amour pour elle dès quatre ans :
Sa mère se trouvant de pauvreté pressée•,
De la lui demander il me vint la pensée,
Et la bonne paysanne•, apprenant mon désir,
A s'ôter cette charge eut beaucoup de plaisir.
135 Dans un petit couvent, loin de toute pratique•,
Je la fis élever selon ma politique•,
C'est-à-dire ordonnant quels soins on emploierait
Pour la rendre idiote autant qu'il se pourrait.

---

115 *d'ordinaire :* d'une façon habituelle.
118 *ce que :* je réponds ce que (ellipse du verbe).
119 *me joindre :* me marier.
120 *patrocinez :* parlez d'abondance (familier).
124 *ma mode :* ma manière, ma conception.
129 *un air :* une apparence, une manière d'être.
131 *de pauvreté pressée :* accablée par la pauvreté.
133 *paysanne : pay* compte pour une seule syllabe : le mot était dissyllabique au XVIIe siècle.
135 *pratique :* fréquentation.
136 *selon ma politique :* selon mes principes.

Dieu merci, le succès a suivi mon attente• ;
140 Et, grande, je l'ai vue à tel point innocente
Que j'ai béni le Ciel d'avoir trouvé mon fait•,
Pour me faire une femme au gré de mon souhait.
Je l'ai donc retirée, et, comme ma demeure
A cent sortes de monde est ouverte à toute heure,
145 Je l'ai mise à l'écart, comme il faut tout prévoir,
Dans cette autre maison, où nul ne me vient voir ;
Et, pour ne point gâter sa bonté naturelle,
Je n'y tiens que des gens• tout aussi simples qu'elle.
Vous me direz : « Pourquoi cette narration ? »
150 C'est pour vous rendre instruit de ma précaution.
Le résultat de tout est qu'en ami fidèle•,
Ce soir, je vous invite à souper• avec elle :
Je veux que vous puissiez un peu l'examiner,
Et voir si de mon choix on me doit condamner.

CHRYSALDE

155 J'y consens.

ARNOLPHE

Vous pourrez, dans cette conférence•,
Juger de sa personne et de son innocence.

CHRYSALDE

Pour cet article-là•, ce que vous m'avez dit
Ne peut...

ARNOLPHE

La vérité passe• encor mon récit.
Dans ses simplicités• à tous coups je l'admire•,

---

139 *le succès a suivi mon attente* : j'ai obtenu le résultat que j'attendais.
141 *mon fait* : mon affaire.
148 *je n'y tiens que des gens* : je n'y ai mis que des domestiques.
151 *en ami fidèle* : parce que vous êtes mon ami fidèle.
152 *souper* : dîner.
155 *dans cette conférence* : au cours de cet entretien.
157 *pour cet article-là* : sur ce sujet.
158 *passe* : dépasse.
159 *ses simplicités* : les marques de sa simplicité.
je l'admire : elle m'étonne.

160 Et parfois elle en dit dont je pâme de rire.
L'autre jour (pourrait-on se le persuader ?)
Elle était fort en peine, et me vint demander
Avec une innocence à nulle autre pareille,
Si les enfants qu'on fait se faisaient par l'oreille.

CHRYSALDE

165 Je me réjouis fort, Seigneur Arnolphe...

ARNOLPHE

Bon• !
Me voulez-vous toujours appeler de ce nom ?

CHRYSALDE

Ah ! malgré que j'en aie•, il me vient à la bouche,
Et jamais je ne songe à Monsieur de la Souche.
Qui diable vous a fait aussi vous aviser,
170 A quarante et deux ans, de vous débaptiser,
Et d'un vieux tronc pourri de votre métairie
Vous faire dans le monde un nom de seigneurie• ?

ARNOLPHE

Outre que la maison par ce nom se connaît•,
La Souche plus qu'Arnolphe à mes oreilles plaît.

CHRYSALDE

175 Quel abus de quitter le vrai nom de ses pères
Pour en vouloir prendre un bâti sur des chimères !
De la plupart des gens c'est la démangeaison• ;
Et, sans vous embrasser dans la comparaison•,
Je sais un paysan qu'on appelait Gros-Pierre,

---

165 *bon :* interjection qui marque une rupture du dialogue.
167 *malgré que j'en aie :* en dépit de moi, malgré moi.
172 *un nom de seigneurie :* un nom qu'on tire d'un domaine seigneurial qu'on possède.
173 *la maison par ce nom se connaît :* la maison dans laquelle se tient Agnès est, pour le monde, la maison du seigneur de la Souche, l'Hôtel de la Souche !
177 *la démangeaison :* le désir ardent.
178 *sans vous embrasser dans la comparaison :* sans établir avec vous une comparaison.

180 Qui, n'ayant pour tout bien qu'un seul quartier de terre,
Y fit tout à l'entour faire un fossé bourbeux,
Et de Monsieur de l'Isle en prit le nom pompeux.

ARNOLPHE

Vous pourriez vous passer d'exemples de la sorte ;
Mais enfin de la Souche est le nom que je porte,
185 J'y vois de la raison•, j'y trouve des appas,
Et m'appeler de l'autre est ne m'obliger pas•.

CHRYSALDE

Cependant la plupart ont peine à s'y soumettre
Et je vois même encor des adresses de lettre...

ARNOLPHE

Je le souffre• aisément de qui n'est pas instruit :
190 Mais vous...

CHRYSALDE

Soit. Là-dessus nous n'aurons point de bruit•,
Et je prendrai le soin d'accoutumer ma bouche
A ne plus vous nommer que Monsieur de la Souche.

ARNOLPHE

Adieu. Je frappe ici pour donner le bonjour
Et dire seulement que je suis de retour.

CHRYSALDE, *s'en allant.*

195 Ma foi, je le tiens fou• de toutes les manières.

ARNOLPHE

Il est un peu blessé• sur certaines matières.
Chose étrange de voir comme avec passion
Un chacun est chaussé• de son opinion !
Holà !...

---

185 *j'y vois de la raison :* j'y ai de bonnes raisons.
186 *est ne m'obliger pas :* est pour me déplaire.
189 *je le souffre :* je le tolère.
190 *de bruit :* de querelle.
195 *je le tiens fou :* je le considère comme fou.
196 *un peu blessé :* un peu fou.
198 *est chaussé de :* est attaché à.

QUESTIONS en vue de l'explication de la scène 1 :

1 Structure de la scène :

La première scène de la comédie est assez longue (près de deux cents vers) et ne comporte que deux personnages qui discutent en apparence assez sérieusement, et pourtant le spectateur n'a pas le temps de s'ennuyer. Montrez qu'en réalité il y a, du v. 1 au v. 199, plusieurs scènes, et essayez de caractériser chacune d'elles (le sujet, le ton, la nature du comique).

2 Les personnages :

a) *Indiquez avec précision le physique des acteurs que vous prendriez, si vous étiez metteur en scène, pour jouer Arnolphe et Chrysalde, et essayez de décrire, en justifiant votre choix, les costumes que vous leur feriez porter.*

b) *Chrysalde n'a pas, sur le mariage et sur ses infortunes, les mêmes idées qu'Arnolphe. Que pensez-vous des principes de conduite qu'il s'est fixés ? (vv. 45-72).*

c) *Des deux personnages en présence, Arnolphe est celui qui parle le plus. Pourquoi ?*

d) *Arnolphe change au cours de cette scène. Essayez de caractériser chacun des personnages qu'il nous présente.*

3 Explication littéraire :

Faites une étude détaillée de la tirade d'Arnolphe, vv. 124-154.

4 Le comique :

On a, tout au long de cette scène, des occasions très différentes de rire ou de sourire.

a) *Montrez ce qui, dans le personnage d'Arnolphe, provoque le rire du spectateur.*

b) *Quand Arnolphe se moque des cocus complaisants et que Chrysalde raille les prétentions nobiliaires de son ami, il y a sans doute de la part de Molière des allusions à ses contemporains. Pensez-vous que ces allusions conservent un pouvoir comique sur le spectateur moderne ?*

c) *A propos des vv. 97-99 et 161-164, pensez-vous que Molière a eu recours au comique de farce dans ces deux cas ?*

5 L'exposition :

Faites un relevé de ce que nous avons appris dans cette première scène. Qu'est-ce que le spectateur attend de voir ensuite ?

SCÈNE II : ALAIN, GEORGETTE, ARNOLPHE.

ALAIN

Qui heurte• ?

ARNOLPHE

Ouvrez. On aura, que je pense,

200 Grande joie à me voir après dix jours d'absence.

ALAIN

Qui va là ?

ARNOLPHE

Moi.

ALAIN

Georgette ?

GEORGETTE

Hé bien ?

ALAIN

Ouvre là-bas.

GEORGETTE

Vas-y, toi.

ALAIN

Vas-y, toi.

GEORGETTE

Ma foi, je n'irai pas.

ALAIN

Je n'irai pas aussi•.

ARNOLPHE

Belle cérémonie•,

Pour me laisser dehors ! Holà ho ! je vous prie.

GEORGETTE

205 Qui frappe ?

---

199 *qui heurte :* qui frappe à la porte.
203 *aussi :* non plus.
belle cérémonie : ce sont là bien des manières.

ARNOLPHE

Votre maître.

GEORGETTE

Alain ?

ALAIN

Quoi ?

GEORGETTE

C'est Monsieur.

Ouvre vite.

ALAIN

Ouvre, toi.

GEORGETTE

Je souffle notre feu.

ALAIN

J'empêche, peur du chat, que mon moineau ne sorte.

ARNOLPHE

Quiconque de vous deux n'ouvrira pas la porte
N'aura point à manger de plus de quatre jours.
210 Ah !

GEORGETTE

Par• quelle raison y venir quand j'y cours ?

ALAIN

Pourquoi plutôt que moi ? le plaisant strodagème• !

GEORGETTE

Ote-toi donc de là.

ALAIN

Non, ôte-toi toi-même.

GEORGETTE

Je veux ouvrir la porte.

---

210 *par* : pour.
211 *strodagème* : stratagème (Alain déforme le mot trop compliqué pour lui).

ALAIN

Et je veux l'ouvrir, moi.

GEORGETTE

Tu ne l'ouvriras pas.

ALAIN

Ni toi non plus.

GEORGETTE

Ni toi.

ARNOLPHE

215 Il faut que j'aie ici l'âme bien patiente !

ALAIN

Au moins, c'est moi, Monsieur.

GEORGETTE

Je suis votre servante• ;

C'est moi.

ALAIN

Sans le respect de Monsieur que voilà,

Je te...

ARNOLPHE, *recevant un coup d'Alain.*

Peste !

ALAIN

Pardon.

ARNOLPHE

Voyez ce lourdaud-là !

ALAIN

C'est elle aussi, Monsieur...

ARNOLPHE

Que tous deux on se taise.

220 Songez à• me répondre et laissons la fadaise•.
Hé bien ! Alain, comment se porte-t-on ici ?

---

216 *je suis votre servante :* formule de politesse.
220 *songez à :* appliquez-vous à.
fadaise : ineptie.

ALAIN

Monsieur, nous nous… Monsieur, nous nous por… Dieu [merci !
Nous nous…
(Arnolphe ôte par trois fois le chapeau de dessus la tête d'Alain)

ARNOLPHE

Qui vous apprend, impertinente bête,
A parler devant moi le chapeau sur la tête ?

ALAIN

225 Vous faites bien, j'ai tort.

ARNOLPHE, *à Alain.*

Faites descendre Agnès.
(A Georgette)
Lorsque je m'en allai, fut-elle triste après ?

GEORGETTE

Triste ? Non.

ARNOLPHE

Non ?

GEORGETTE

Si fait• !

ARNOLPHE

Pourquoi donc ?…

GEORGETTE

Oui, je meure•,
Elle vous croyait voir de retour à toute heure.
Et nous n'oyions• jamais passer devant chez nous
230 Cheval, âne ou mulet, qu'elle ne prît pour vous.

---

227 *si fait :* expression populaire qui signifie : *mais si*; *si, bien sûr.*
je meure : que je meure (si je mens).
229 *oyions :* entendions.

SCÈNE III : AGNÈS, ALAIN, GEORGETTE, ARNOLPHE

ARNOLPHE

La besogne• à la main ! c'est un bon témoignage•.
Hé bien ! Agnès, je suis de retour de voyage ;
En êtes-vous bien aise• ?

AGNÈS

Oui, Monsieur, Dieu merci.

ARNOLPHE

Et moi, de vous revoir je suis bien aise aussi.
235 Vous vous êtes toujours, comme on voit, bien portée ?

AGNÈS

Hors• les puces, qui m'ont la nuit inquiétée•.

ARNOLPHE

Ah ? vous aurez dans peu quelqu'un pour les chasser.

AGNÈS

Vous me ferez plaisir.

ARNOLPHE

Je le puis bien penser.
Que faites-vous donc là ?

AGNÈS

Je me fais des cornettes• :
240 Vos chemises de nuit et vos coiffes• sont faites.

ARNOLPHE

Ah ! voilà qui va bien. Allez, montez là-haut :
Ne vous ennuyez point, je reviendrai tantôt,
Et je vous parlerai d'affaires importantes.

---

231 *la besogne* : l'ouvrage.
un bon témoignage : un bon signe.
233 *en êtes-vous bien aise* : en êtes-vous contente.
236 *hors* : sauf.
inquiétée : importunée.
239 *cornettes* : bonnets de nuit que portaient les femmes.
240 *coiffes* : garnitures du bonnet de nuit.

(Tous étant rentrés.)

Héroïnes du temps, Mesdames les savantes,
245 Pousseuses de tendresse• et de beaux sentiments,
Je défie à la fois tous vos vers, vos romans,
Vos lettres, billets doux, toute votre science,
De valoir cette honnête et pudique ignorance.

SCÈNE IV : HORACE, ARNOLPHE

ARNOLPHE

Ce n'est point par le bien• qu'il faut être ébloui,
250 Et, pourvu que l'honneur soit... Que vois-je ? Est-ce... Oui.
Je me trompe. Nenni•. Si fait•. Non, c'est lui-même,
Hor...

HORACE

Seigneur Ar...

ARNOLPHE

Horace !

HORACE

Arnolphe !

ARNOLPHE

Ah ! joie extrême !
Et depuis quand ici ?

HORACE

Depuis neuf jours.

ARNOLPHE

Vraiment ?

---

245 *pousseuses de tendresse* : vous qui savez bien exprimer la tendresse.
249 *le bien* : la fortune.
251 *nenni* : non pas (familier).
si fait : mais si.

HORACE

Je fus• d'abord chez vous, mais inutilement•.

ARNOLPHE

255 J'étais à la campagne.

HORACE

Oui, depuis deux journées.

ARNOLPHE

Oh ! comme les enfants croissent• en peu d'années !
J'admire de le voir au point où le voilà,
Après que je l'ai vu pas plus grand que cela.

HORACE

Vous voyez.

ARNOLPHE

Mais, de grâce, Oronte votre père,
260 Mon bon et cher ami, que j'estime et révère•,
Que fait-il ? que dit-il ? est-il toujours gaillard• ?
A tout ce qui le touche il sait que je prends part.
Nous ne nous sommes vus depuis quatre ans ensemble,
Ni, qui plus est, écrit l'un à l'autre, me semble.

HORACE

265 Il est, Seigneur Arnolphe, encor plus gai que nous,
Et j'avais de sa part une lettre pour vous ;
Mais, depuis, par une autre il m'apprend sa venue,
Et la raison encor ne m'en est pas connue.
Savez-vous qui peut être un de vos citoyens•
270 Qui retourne en ces lieux avec beaucoup de biens
Qu'il s'est en quatorze ans acquis dans l'Amérique• ?

---

254 *je fus :* je me rendis.
inutilement : en vain.
256 *croissent :* grandissent.
260 *révère :* respecte.
261 *gaillard :* en bonne santé et plein d'entrain.
269 *citoyens :* concitoyens.
271 *dans l'Amérique :* en Amérique.

ARNOLPHE

Non. Vous a-t-on point dit• comme on le nomme ?

HORACE

Enrique.

ARNOLPHE

Non.

HORACE

Mon père m'en parle, et qu'il est revenu•,
Comme s'il devait m'être entièrement connu,
275 Et m'écrit qu'en chemin ensemble ils se vont mettre
Pour un fait important que ne dit point sa lettre.

ARNOLPHE

J'aurai certainement grande joie à le voir,
Et pour le régaler• je ferai mon pouvoir•.

(Après avoir lu la lettre.)

Il faut, pour des amis, des lettres moins civiles•,
280 Et tous ces compliments sont choses inutiles ;
Sans qu'il prît le souci de m'en écrire rien,
Vous pouvez librement disposer de mon bien.

HORACE

Je suis homme à saisir les gens par leurs paroles,
Et j'ai présentement besoin de cent pistoles•.

---

272 *vous a-t-on point dit :* l'omission de la négation *ne* est familière dans les tournures interro-négatives au XVIIe siècle.

273 *et qu'il est revenu :* cette proposition complétive est coordonnée au pronom personnel *en*. Cette tournure serait doublement incorrecte dans la langue moderne : le verbe parler n'est plus utilisé transitivement et l'on ne saurait coordonner un pronom et une proposition.

278 *le régaler :* lui offrir une réception.
je ferai mon pouvoir : je ferai tout ce que je pourrai.

279 *civiles :* courtoises, polies.

284 *cent pistoles :* c'est une somme très importante.

ARNOLPHE

285 Ma foi, c'est m'obliger• que d'en user• ainsi,
Et je me réjouis de les avoir ici.
Gardez aussi la bourse.

HORACE

Il faut...•

ARNOLPHE

Laissons ce style•.
Eh bien ! comment encor• trouvez-vous cette ville ?

HORACE

Nombreuse en• citoyens, superbe en bâtiments,
290 Et j'en crois merveilleux les divertissements.

ARNOLPHE

Chacun a ses plaisirs, qu'il se fait à sa guise ;
Mais, pour ceux que du nom de galants• on baptise,
Ils ont en ce pays de quoi se contenter•,
Car les femmes y sont faites à coqueter•.
295 On trouve d'humeur douce et la brune et la blonde,
Et les maris aussi les plus bénins• du monde :
C'est un plaisir de prince, et des tours• que je voi•
Je me donne souvent la comédie à moi.

---

285 *m'obliger* : me faire plaisir.
en user : se conduire.
287 *il faut ...* : Horace s'apprête à remercier Arnolphe et à lui proposer un reçu pour la somme d'argent qu'il vient d'emprunter.
laissons ce style : ne parlons plus de cela.
288 *encor* : orthographe possible de l'adverbe au XVIIe siècle.
289 *nombreuse en* : qui contient beaucoup de.
292 *galants* : ceux qui recherchent les aventures amoureuses.
293 *se contenter* : se satisfaire.
294 *les femmes y sont faites à coqueter* : les femmes y sont habituées à être coquettes.
296 *bénins* : complaisants.
297 *des tours* : des intrigues.
je voi : orthographe qui ne se rencontre qu'à la rime.

Peut-être en avez-vous déjà féru• quelqu'une•.
300 Vous est-il point• encore arrivé de fortune• ?
Les gens faits comme vous• font plus que les écus,
Et vous êtes de taille à faire des cocus.

HORACE

A ne vous rien cacher de la vérité pure,
J'ai d'amour en ces lieux eu certaine aventure,
305 Et l'amitié m'oblige à vous en faire part.

ARNOLPHE

Bon ! voici de nouveau quelque conte gaillard•,
Et ce sera de quoi mettre sur mes tablettes.

HORACE

Mais, de grâce•, qu'au moins ces choses soient secrètes.

ARNOLPHE

Oh• !

HORACE

Vous n'ignorez pas qu'en ces occasions
310 Un secret éventé rompt nos précautions.
Je vous avouerai donc avec pleine franchise
Qu'ici d'une beauté mon âme s'est éprise.
Mes petits soins• d'abord• ont eu tant de succès

---

299 *féru :* participe du verbe férir qui signifie « frapper » (cf. l'expression « sans coup férir »), et plus particulièrement ici « blesser d'amour ».
quelqu'une : la langue moderne n'emploie plus cette forme de l'adjectif indéfini *quelque* dans cette position.
300 *vous est-il point :* ellipse de la négation *ne* dans le langage familier.
fortune : aventure amoureuse.
301 *les gens faits comme vous :* les gens qui, comme vous, sont jeunes et beaux.
306 *quelque conte gaillard :* une histoire un peu légère.
308 *de grâce :* s'il vous plaît.
309 *oh :* interjection elliptique : oh, vous pouvez compter sur moi !
313 *mes petits soins :* les premières démarches que j'ai entreprises.
d'abord : dès l'abord, dès le commencement.

Que je me suis chez elle ouvert un doux accès ;
315 Et, sans trop me vanter, ni lui faire une injure,
Mes affaires y sont en fort bonne posture•.

ARNOLPHE, *riant.*

Et c'est ?

HORACE, *lui montrant le logis d'Agnès.*

Un jeune objet• qui loge en ce logis
Dont vous voyez d'ici que les murs sont rougis :
Simple•, à la vérité, par l'erreur sans seconde•
320 D'un homme qui la cache au commerce du monde•,
Mais qui, dans l'ignorance où l'on veut l'asservir•,
Fait briller des attraits capables de ravir• ;
Un air• tout engageant•, je ne sais quoi de tendre
Dont il n'est point de cœur qui se puisse défendre.
325 Mais peut-être il n'est pas que vous n'ayez bien vu•
Ce jeune astre d'amour• de tant d'attraits pourvu :
C'est Agnès qu'on l'appelle.

ARNOLPHE, *à part.*

Ah ! je crève• !

---

316 *en fort bonne posture :* en très bonne voie.
317 *un jeune objet :* une jeune femme ; *objet* s'emploie pour désigner la femme aimée.
319 *simple :* naïve et un peu sotte.
par l'erreur sans seconde : par la sottise sans égale.
320 *au commerce du monde :* à la fréquentation du monde.
321 *l'asservir :* la rendre esclave. L'ignorance où l'on tient Agnès est une contrainte semblable à celle de l'esclavage.
322 *ravir :* transporter d'admiration.
323 *un air :* une apparence.
engageant : attirant.
325 *il n'est pas que vous n'ayez bien vu :* il n'est pas possible que vous n'ayez pas vu.
326 *astre d'amour :* expression précieuse pour désigner une femme aimable.
327 *je crève :* je meurs (expression familière mais non triviale).

HORACE

Pour l'homme,

C'est, je crois, de la Zousse, ou Source, qu'on le nomme ;
Je ne me suis pas fort arrêté• sur le nom ;
330 Riche, à ce qu'on m'a dit, mais des plus sensés, non,
Et l'on m'en a parlé comme d'un ridicule•.
Le connaissez-vous point ?

ARNOLPHE, *à part.*

La fâcheuse pilule• !

HORACE

Eh ! vous ne dites mot ?

ARNOLPHE

Eh ! oui, je le connoi•.

HORACE

C'est un fou, n'est-ce pas ?

ARNOLPHE

Eh !...

HORACE

Qu'en dites-vous ? quoi ?

335 Eh ! c'est-à-dire oui ? Jaloux à faire rire ?
Sot ? je vois qu'il en est ce que l'on m'a pu dire.
Enfin l'aimable Agnès a su m'assujettir•.
C'est un joli bijou, pour ne vous point mentir,
Et ce serait péché qu'une beauté si rare
340 Fût laissée au pouvoir de cet homme bizarre•.
Pour moi, tous mes efforts, tous mes vœux les plus doux,

---

329 *fort arrêté :* tout à fait assuré.
331 *un ridicule :* un homme digne de moquerie.
332 *la fâcheuse pilule :* expression familière qui signifie qu'Arnolphe trouve tout cela bien « difficile à avaler ».
333 *je le connoi :* forme usitée au XVIIe siècle et dont l'orthographe sans *s* est une licence qui ne se rencontre qu'à la rime.
337 *m'assujettir :* me rendre son sujet.
340 *bizarre :* extravagant.

Vont à• m'en rendre maître en dépit du jaloux,
Et l'argent que de vous j'emprunte avec franchise
N'est que pour mettre à bout• cette juste entreprise.
345 Vous savez mieux que moi, quels que soient nos efforts,
Que l'argent est la clef de tous les grands ressorts,
Et que ce doux métal, qui frappe tant de têtes•,
En amour, comme en guerre, avance les conquêtes.
Vous me semblez chagrin• ; serait-ce qu'en effet
350 Vous désapprouviez le dessein que j'ai fait ?

ARNOLPHE

Non, c'est que je songeais...

HORACE

Cet entretien vous lasse.
Adieu ; j'irai chez vous tantôt vous rendre grâce•.

ARNOLPHE

Ah ! faut-il...

HORACE, *revenant.*

Derechef•, veuillez être discret,
Et n'allez pas, de grâce, éventer mon secret.

(Il s'en va.)

ARNOLPHE

355 Que je sens dans mon âme...

HORACE, *revenant.*

Et surtout à mon père,
Qui s'en ferait peut-être un sujet de colère.

---

342 *vont à :* tendent à.
344 *mettre à bout :* mener à bonne fin.
347 *qui frappe tant de têtes :* qui monte à la tête de tant de gens.
349 *chagrin :* très contrarié (sens fort).
352 *vous rendre grâce :* vous remercier.
353 *derechef :* encore une fois.

ARNOLPHE, *croyant qu'il revient encore.*

Oh !... Oh ! que j'ai souffert durant cet entretien !
Jamais trouble d'esprit ne fut égal au mien.
Avec quelle imprudence et quelle hâte extrême
360 Il m'est venu conter cette affaire à moi-même !
Bien que mon autre nom le tienne dans l'erreur,
Étourdi montra-t-il jamais tant de fureur• ?
Mais, ayant tant souffert, je devais• me contraindre
Jusques à m'éclaircir• de ce que je dois craindre,
365 A pousser jusqu'au bout son caquet indiscret•,
Et savoir pleinement• leur commerce secret•.
Tâchons à• le rejoindre, il n'est pas loin, je pense ;
Tirons-en de ce fait• l'entière confidence•.
Je tremble du malheur qui m'en peut arriver,
370 Et l'on cherche souvent plus qu'on ne veut trouver.

---

362 *fureur :* folie.
363 *je devais :* j'aurais dû ; comme en latin, les verbes *pouvoir* et *devoir* ont souvent à l'indicatif une valeur de conditionnel dans la langue classique.
364 *jusques à m'éclaircir :* jusqu'à ce que je sache clairement.
365 *son caquet indiscret :* son bavardage sans retenue.
366 *pleinement :* en détail.
leur commerce secret : la nature des relations secrètes qu'ils ont entre eux.
367 *tâchons à :* tâchons de.
368 *de ce fait :* de cette aventure.
l'entière confidence : l'aveu complet.

- **L'ACTION est engagée.**

ARNOLPHE veut épouser AGNÈS qu'il a fait élever dans la plus grande ignorance. Mais il vient d'apprendre qu'il a un rival heureux : HORACE. Il veut savoir ce qu'il doit craindre.

HORACE veut arracher AGNÈS à son jaloux : il ignore la véritable identité de celui-ci, en conséquence de quoi il s'est trahi, sans s'en douter, en faisant à ARNOLPHE confidence de son aventure.

ORONTE, père d'HORACE, doit venir bientôt en compagnie d'ENRIQUE pour mener à bien un projet sur lequel on ne sait rien de précis ; CHRYSALDE, a été invité à dîner pour le soir même.

- **LES PERSONNAGES sont en place.**

ARNOLPHE nous est apparu sous des aspects bien différents : bel esprit, bourgeois gentilhomme, maître tyrannique et désobéi, personnage trivial, jaloux qui se cache.

AGNÈS n'a fait qu'une bien courte apparition qui ne nous a guère permis de la juger. Nous savons pourtant, grâce aux portraits contradictoires qui nous en ont été faits, que *cette pure jeune fille pourrait bien être moins simple que ne le croit son jaloux.*

HORACE s'est montré un jeune homme bien *sympathique :* il n'est pas du genre à rechercher l'aventure à tout prix, mais il est assez *dynamique* pour faire avancer seul ses affaires quand il le faut.

CHRYSALDE est un ami d'ARNOLPHE, plus discret que lui.

ALAIN et GEORGETTE, les domestiques, nous semblent disposés à dire ce que leur maître a envie d'entendre.

Le spectateur jubile : Arnolphe est beaucoup moins sûr de lui.

C'est avec une curiosité amusée qu'il attend la suite :

— Comment va réagir le jaloux ?
— Quelle est donc cette jeune innocente qui a déjà une aventure avec Horace ?

ACTE II

SCÈNE PREMIÈRE : ARNOLPHE

Il m'est, lorsque j'y pense, avantageux, sans doute,
D'avoir perdu mes pas• et pu manquer sa route :
Car enfin de mon cœur le trouble impérieux•
N'eût pu se renfermer tout entier à ses yeux ;
375 Il eût fait éclater l'ennui• qui me dévore,
Et je ne voudrais pas qu'il sût ce qu'il ignore.
Mais je ne suis pas homme à gober le morceau•
Et laisser un champ libre aux vœux du damoiseau•,
J'en veux rompre le cours et sans tarder apprendre
380 Jusqu'où l'intelligence• entre eux a pu s'étendre :
J'y prends, pour mon honneur, un notable intérêt ;
Je la regarde en femme, aux termes qu'elle en est• ;
Elle n'a pu faillir• sans me couvrir de honte,
Et tout ce qu'elle a fait enfin est sur mon compte•.
385 Éloignement fatal ! Voyage malheureux !
(Frappant à la porte.)

SCÈNE II : ALAIN, GEORGETTE, ARNOLPHE

ALAIN

Ah ! Monsieur, cette fois...

ARNOLPHE

Paix ! Venez çà• tous deux :
Passez là, passez là. Venez là, venez, dis-je.

---

372 *avoir perdu mes pas :* avoir couru en vain.
373 *le trouble impérieux :* le trouble irrésistible.
375 *l'ennui :* le tourment.
377 *gober le morceau :* expression familière qui signifie qu'Arnolphe n'est pas décidé à « tout avaler ».
378 *damoiseau :* jeune homme, avec une valeur péjorative.
380 *l'intelligence :* la complicité.
382 *aux termes qu'elle en est :* je la considère désormais comme devenue une femme.
383 *faillir :* commettre une faute.
384 *est sur mon compte :* m'est imputé.
386 *venez çà :* venez ici.

GEORGETTE

Ah ! vous me faites peur, et tout mon sang se fige.

ARNOLPHE

C'est donc ainsi qu'absent• vous m'avez obéi,
390 Et tous deux, de concert•, vous m'avez donc trahi ?

GEORGETTE

Eh ! ne me mangez pas, Monsieur, je vous conjure.

ALAIN, *à part.*

Quelque chien enragé l'a mordu, je m'assure•.

ARNOLPHE

Ouf ! Je ne puis parler, tant je suis prévenu•,
Je suffoque, et voudrais me pouvoir mettre nu.
395 Vous avez donc souffert, ô canaille maudite !
Qu'un homme soit venu... Tu veux prendre la fuite ?
Il faut que sur-le-champ... Si tu bouges !... Je veux
Que vous me disiez... Euh ! Oui, je veux que tous deux...
Quiconque• remuera, par la mort• je l'assomme.
400 Comme• est-ce que chez moi s'est introduit cet homme ?
Eh ! parlez, dépêchez, vite, promptement, tôt•,
Sans rêver•. Veut-on dire ?

ALAIN ET GEORGETTE, *tombant à genoux.*

Ah ! ah !

GEORGETTE

Le cœur me faut• !

---

389 *absent :* pendant que j'étais absent.
390 *de concert :* ensemble, en accord.
392 *je m'assure :* j'en suis sûr.
393 *prévenu :* sûr, par avance, de mon malheur.
399 *quiconque :* celui de vous deux qui.
par la mort : juron qui se trouve aussi sous la forme « par la mort de Dieu » ou « Morbleu ».
400 *comme :* comment.
401 *tôt :* promptement, vite.
402 *sans rêver :* sans perdre de temps.
le cœur me faut : mon cœur s'arrête, je défaille.

ALAIN

Je meurs.

ARNOLPHE

Je suis en eau, prenons un peu d'haleine•.
Il faut que je m'évente• et que je me promène.
405 Aurais-je deviné•, quand je l'ai vu petit•,
Qu'il croîtrait pour cela ? Ciel ! que mon cœur pâtit• !
Je pense qu'il vaut mieux que de sa propre bouche•
Je tire avec douceur l'affaire qui me touche.
Tâchons à• modérer notre ressentiment ;
410 Patience, mon cœur, doucement, doucement !
Levez-vous, et, rentrant•, faites qu'Agnès descende.
Arrêtez. Sa surprise en deviendrait moins grande ;
Du chagrin• qui me trouble ils iraient l'avertir,
Et moi-même je veux l'aller faire sortir•.
415 Que l'on m'attende ici.

SCÈNE III : ALAIN, GEORGETTE

GEORGETTE

Mon Dieu, qu'il est terrible !
Ses regards m'ont fait peur, mais une peur horrible,
Et jamais je ne vis un plus hideux chrétien•.

ALAIN

Ce monsieur l'a fâché, je te le disais bien.

---

403 *prenons un peu d'haleine :* reprenons un peu notre souffle.
404 *que je m'évente :* que je prenne l'air.
405 *aurais-je deviné :* pouvais-je deviner.
quand je l'ai vu petit : il s'agit d'Horace.
406 *pâtit :* souffre.
407 *de sa propre bouche :* de la bouche d'Agnès.
409 *tâchons à :* tâchons de.
411 *rentrant :* en rentrant.
413 *du chagrin :* de la colère.
414 *je veux l'aller faire sortir :* le pronom personnel complément d'un infinitif se place souvent dans la langue classique devant le verbe dont dépend l'infinitif.
417 *chrétien :* individu, homme.

GEORGETTE

Mais que diantre est-ce là qu'•avec tant de rudesse
420 Il nous fait au logis garder notre maîtresse ?
D'où vient qu'à tout le monde il veut tant la cacher.
Et qu'il ne saurait voir personne en approcher ?

ALAIN

C'est que cette action le met en jalousie.

GEORGETTE

Mais d'où vient qu'il est pris de cette fantaisie• ?

ALAIN

425 Cela vient... cela vient de ce qu'il est jaloux.

GEORGETTE

Oui ; mais pourquoi l'est-il, et pourquoi ce courroux ?

ALAIN

C'est que la jalousie... entends-tu bien, Georgette,
Est une chose... là... qui fait qu'on s'inquiète...
Et qui chasse les gens d'autour d'une maison.
430 Je m'en vais te bailler• une comparaison,
Afin de concevoir• la chose davantage.
Dis-moi, n'est-il pas vrai, quand tu tiens ton potage,
Que, si quelque affamé venait pour en manger,
Tu serais en colère, et voudrais le charger• ?

GEORGETTE

435 Oui, je comprends cela.

ALAIN

C'est justement tout comme.
La femme est en effet le potage de l'homme,
Et, quand un homme voit d'autres hommes parfois
Qui veulent dans sa soupe aller tremper leurs doigts,
Il en montre aussitôt une colère extrême.

---

419 *que diantre est-ce là que :* pourquoi diable.
424 *cette fantaisie :* cette lubie.
430 *te bailler :* te donner.
431 *afin de concevoir :* pour que tu comprennes.
434 *le charger :* lui sauter dessus.

GEORGETTE

440 Oui ; mais pourquoi chacun n'en fait-il pas de même,
Et que• nous en voyons qui paraissent joyeux
Lorsque leurs femmes sont avec les biaux monsieux• ?

ALAIN

C'est que chacun n'a pas cette amitié goulue•
Qui n'en veut que pour soi.

GEORGETTE

Si je n'ai la berlue,

445 Je le vois qui revient.

ALAIN

Tes yeux sont bons, c'est lui.

GEORGETTE

Vois comme il est chagrin•.

ALAIN

C'est qu'il a de l'ennui•.

SCÈNE IV : ARNOLPHE, AGNÈS, ALAIN, GEORGETTE

ARNOLPHE

Un certain Grec disait à l'empereur Auguste
Comme une instruction• utile autant que juste,
Que, lorsqu'une aventure en colère nous met,
450 Nous devons avant tout dire notre alphabet,
Afin que dans ce temps• la bile• se tempère,

---

441 *et que :* rupture de construction qui substitue une complétive par « que » à l'interrogative indépendante qu'on attendait.
442 *les biaux monsieux :* les beaux messieurs. Expression paysanne.
443 *cette amitié goulue :* cette passion gourmande et exclusive.
446 *chagrin :* irrité.
de l'ennui : du tourment, de l'angoisse.
448 *une instruction :* un conseil.
451 *dans ce temps :* pendant ce temps.
la bile : la colère.

Et qu'on ne fasse rien que l'on ne doive faire.
J'ai suivi sa leçon sur le sujet d'Agnès,
Et je la fais venir en ce lieu tout exprès,
455 Sous prétexte d'y faire un tour de promenade,
Afin que les soupçons de mon esprit malade
Puissent sur le discours• la mettre adroitement,
Et lui sondant le cœur, s'éclaircir• doucement.
Venez, Agnès. Rentrez.

SCÈNE V : ARNOLPHE, AGNÈS

ARNOLPHE

La promenade est belle.

AGNÈS

460 Fort belle.

ARNOLPHE

Le beau jour !

AGNÈS

Fort beau !

ARNOLPHE

Quelle nouvelle ?

AGNÈS

Le petit chat est mort.

ARNOLPHE

C'est dommage ; mais quoi ?
Nous sommes tous mortels, et chacun est pour soi.
Lorsque j'étais aux champs, n'a-t-il point fait de pluie ?

AGNÈS

Non.

---

457 *sur le discours :* sur le sujet (qui m'intéresse).
458 *s'éclaircir :* s'instruire, se renseigner.

ARNOLPHE

Vous ennuyait-il• ?

AGNÈS

Jamais je ne m'ennuie.

ARNOLPHE

465 Qu'avez-vous fait encor ces neuf ou dix jours-ci ?

AGNÈS

Six chemises, je pense, et six coiffes aussi.

ARNOLPHE, *ayant un peu rêvé.*

Le monde, chère Agnès, est une étrange chose.
Voyez la médisance, et comme chacun cause• !
Quelques voisins m'ont dit qu'un jeune homme inconnu
470 Était en mon absence à la maison venu,
Que vous aviez souffert sa vue• et ses harangues• ;
Mais je n'ai point pris foi sur• ces méchantes langues,
Et j'ai voulu gager• que c'était faussement...

AGNÈS

Mon Dieu, ne gagez pas, vous perdriez vraiment.

ARNOLPHE

475 Quoi ! c'est la vérité qu'un homme...

AGNÈS

Chose sûre.
Il n'a presque bougé de chez nous, je vous jure.

---

464 *vous ennuyait-il :* le verbe « ennuyer » est ici employé de façon impersonnelle.

468 *voyez la médisance, et comme chacun cause :* le verbe transitif est suivi d'un nom complément (*la médisance*) et d'une proposition complétive (*comme chacun cause*) coordonnés. Cette tournure serait incorrecte dans la langue moderne.

471 *que vous aviez souffert sa vue :* que vous aviez accepté de le voir.
ses harangues : ses discours.

472 *je n'ai point pris foi sur :* je n'ai pas accordé de crédit à.

473 *gager :* parier.

ARNOLPHE, *à part.*

Cet aveu qu'elle fait avec sincérité
Me marque pour le moins son ingénuité.
(Haut)
Mais il me semble, Agnès, si ma mémoire est bonne,
480 Que j'avais défendu que vous vissiez personne.

AGNÈS

Oui, mais, quand je l'ai vu, vous ignorez pourquoi,
Et vous en auriez fait, sans doute, autant que moi.

ARNOLPHE

Peut-être ; mais enfin contez-moi cette histoire.

AGNÈS

Elle est fort étonnante• et difficile à croire.
485 J'étais sur le balcon à travailler au frais,
Lorsque je vis passer sous les arbres d'auprès•
Un jeune homme bien fait, qui, rencontrant ma vue,
D'une humble révérence aussitôt me salue :
Moi, pour ne point manquer à la civilité•,
490 Je fis la révérence aussi de mon côté.
Soudain, il me refait une autre révérence :
Moi, j'en refais de même une autre en diligence• ;
Et, lui d'une troisième aussitôt repartant•,
D'une troisième aussi j'y repars• à l'instant.
495 Il passe, vient, repasse, et toujours de plus belle
Me fait à chaque fois révérence nouvelle• ;
Et moi, qui tous ces tours• fixement regardais,
Nouvelle révérence aussi je lui rendais :

---

484 *étonnante :* extraordinaire.
486 *les arbres d'auprès :* les arbres qui sont proches.
489 *à la civilité :* à la politesse.
492 *j'en refais de même une autre en diligence :* je me hâte d'en refaire de même une autre.
493 *repartant :* répondant.
494 *j'y repars :* je lui réponds. Le pronom « y » pouvait représenter des personnes.
496 *me fait à chaque fois révérence nouvelle :* omission de l'article (une nouvelle révérence) fréquente au XVIIe siècle.
497 *tous ces tours :* le comportement de ce jeune homme.

Tant que, si sur ce point la nuit ne fût venue•,
500 Toujours comme cela je me serais tenue,
Ne voulant point céder, et recevoir l'ennui•
Qu'il me pût estimer moins civile• que lui.

ARNOLPHE

Fort bien.

AGNÈS

Le lendemain, étant sur notre porte•,
Une vieille m'aborde en parlant de la sorte :
505 « Mon enfant, le bon Dieu puisse-t-il vous bénir,
Et dans tous vos attraits longtemps vous maintenir !
Il ne vous a pas faite une belle personne
Afin de mal user des choses qu'il vous donne,
Et vous devez savoir que vous avez blessé
510 Un cœur qui de s'en plaindre est aujourd'hui forcé. »

ARNOLPHE, *à part.*

Ah ! suppôt de Satan•, exécrable damnée !

AGNÈS

« Moi, j'ai blessé quelqu'un ? fis-je toute étonnée.
— Oui, dit-elle, blessé, mais blessé tout de bon ;
Et c'est l'homme qu'hier vous vîtes du balcon.
515 — Hélas ! qui• pourrait, dis-je, en avoir été cause ?
Sur lui, sans y penser, fis-je choir quelque chose ?
— Non, dit-elle, vos yeux ont fait ce coup fatal•,
Et c'est de leurs regards qu'est venu tout son mal.
— Hé ! mon Dieu ! ma surprise est, fis-je, sans seconde :
520 Mes yeux ont-ils du mal pour en donner au monde ?

---

499 *si sur ce point la nuit ne fût venue :* si la nuit n'était pas venue à ce moment.
501 *recevoir l'ennui :* avoir le déplaisir.
502 *moins civile :* moins polie.
503 *étant sur notre porte :* alors que j'étais sur le pas de notre porte.
511 *suppôt de Satan :* expression injurieuse : serviteur (ici « servante ») de Satan.
515 *qui :* qu'est-ce qui (interrogatif neutre de l'ancien français).
517 *fatal :* qui cause la mort.

— Oui, fit-elle, vos yeux, pour causer le trépas,
Ma fille, ont un venin que vous ne savez pas :
En un mot, il languit•, le pauvre misérable ;
Et s'il faut, poursuivit la vieille charitable,
525 Que votre cruauté lui refuse un secours,
C'est un homme à porter en terre dans deux jours.
— Mon Dieu ! j'en aurais, dis-je, une douleur bien grande.
Mais, pour le secourir, qu'est-ce qu'il me demande ?
— Mon enfant, me dit-elle, il ne veut obtenir
530 Que le bien de vous voir et vous entretenir ;
Vos yeux peuvent, eux seuls, empêcher sa ruine•,
Et du mal qu'ils ont fait être la médecine•.
— Hélas ! volontiers dis-je, et, puisqu'il est ainsi,
Il peut tant qu'il voudra me venir voir ici. »

ARNOLPHE, *à part.*

535 Ah ! sorcière maudite, empoisonneuse d'âmes,
Puisse l'enfer payer tes charitables trames• !

AGNÈS

Voilà comme il me vit et reçut guérison.
Vous-même, à votre avis•, n'ai-je pas eu raison,
Et pouvais-je, après tout, avoir la conscience
540 De le laisser mourir faute d'une assistance,
Moi qui compatis tant aux gens qu'on fait souffrir,
Et ne puis sans pleurer voir un poulet mourir ?

ARNOLPHE, *bas.*

Tout cela n'est parti que d'une âme innocente,
Et j'en dois accuser mon absence imprudente,
545 Qui sans guide a laissé cette bonté de mœurs•

---

523 *il languit :* il est malade.
531 *sa ruine :* sa mort.
532 *la médecine :* le remède.
536 *trames :* intrigues.
538 *vous-même à votre avis :* tournure elliptique pour « vous-même, dites-moi, à votre avis ».
545 *cette bonté de mœurs :* tournure abstraite pour « cette fille qui a une bonté naturelle ».

Exposée aux aguets des rusés séducteurs.
Je crains que le pendard, dans ses vœux téméraires,
Un peu plus fort que jeu• n'ait poussé les affaires.

AGNÈS

Qu'avez-vous ? Vous grondez•, ce me semble, un petit• ;
550 Est-ce que c'est mal fait ce que je vous ai dit ?

ARNOLPHE

Non. Mais de cette vue• apprenez-moi les suites,
Et comme• le jeune homme a passé ses visites.

AGNÈS

Hélas ! si vous saviez comme il était ravi,
Comme il perdit son mal sitôt que je le vi•,
555 Le présent qu'il m'a fait d'une belle cassette,
Et l'argent qu'en ont eu• notre Alain et Georgette,
Vous l'aimeriez sans doute, et diriez comme nous...

ARNOLPHE

Oui, mais que faisait-il étant seul• avec vous ?

AGNÈS

Il jurait qu'il m'aimait d'une amour• sans seconde,
560 Et me disait des mots les plus gentils du monde,
Des choses que jamais rien ne peut égaler,
Et dont, toutes les fois que je l'entends parler,
La douceur me chatouille et là-dedans remue
Certain je ne sais quoi dont je suis toute émue.

---

548 *un peu plus fort que jeu :* un peu plus loin que dans un simple jeu.
549 *grondez :* grommelez, murmurez.
un petit : un peu.
551 *cette vue :* cette entrevue.
552 *et comme :* et comment. La proposition interrogative indirecte est coordonnée au complément d'objet direct « les suites », (v. précédent).
554 *je le vi :* l'orthographe *vi* est une licence orthographique qui ne se trouve qu'à la rime.
556 *et l'argent qu'en ont eu :* et l'argent qu'ont reçu de lui.
558 *étant seul :* lorsqu'il était seul.
559 *une amour :* ce mot est tantôt masculin, tantôt féminin.

ARNOLPHE, *à part.*

565 O fâcheux examen d'un mystère fatal,
Où l'examinateur souffre seul tout le mal !
(A Agnès.)
Outre tous ces discours, toutes ces gentillesses,
Ne vous faisait-il point aussi quelques caresses ?

AGNÈS

Oh tant ! il me prenait et les mains et les bras,
570 Et de me les baiser il n'était jamais las.

ARNOLPHE

Ne vous a-t-il point pris, Agnès, quelqu'autre chose ?
(La voyant interdite)
Ouf !

AGNÈS

Eh ! il m'a...

ARNOLPHE

Quoi ?

AGNÈS

Pris...

ARNOLPHE

Euh !

AGNÈS

Le...

ARNOLPHE

Plaît-il• ?

AGNÈS

Je n'ose,
Et vous vous fâcheriez peut-être contre moi.

ARNOLPHE

Non.

---

572 *plaît-il :* expression qui invite l'interlocuteur à terminer sa phrase ou à la répéter.

AGNÈS

Si fait•.

ARNOLPHE

Mon Dieu ! non.

AGNÈS

Jurez donc votre foi•.

ARNOLPHE

575 Ma foi, soit.

AGNÈS

Il m'a pris... Vous serez en colère.

ARNOLPHE

Non.

AGNÈS

Si.

ARNOLPHE

Non, non, non, non ! Diantre ! que de mystère !
Qu'est-ce qu'il vous a pris ?

AGNÈS

Il...

ARNOLPHE, *à part.*

Je souffre en damné•.

AGNÈS

Il m'a pris le ruban que vous m'aviez donné.
A vous dire le vrai, je n'ai pu m'en défendre.

ARNOLPHE, *reprenant haleine.*

580 Passe pour le ruban. Mais je voulais apprendre
S'il ne vous a rien fait que vous baiser les bras.

---

574 *si fait :* mais si.
jurez donc votre foi : donnez donc votre parole. Le verbe jurer est ici transitif.

577 *en damné :* comme un damné.

AGNÈS

Comment ! est-ce qu'on fait d'autres choses ?

ARNOLPHE

Non pas.

Mais, pour guérir du mal qu'il dit qui le possède,
N'a-t-il point exigé de vous d'autre remède ?

AGNÈS

585 Non. Vous pouvez juger, s'il en eût demandé,
Que pour le secourir j'aurais tout accordé.

ARNOLPHE, *à part.*

Grâce aux bontés du Ciel, j'en suis quitte à bon compte.
Si je retombe plus•, je veux bien qu'on m'affronte.
Chut ! De votre innocence, Agnès, c'est un effet ;
590 Je ne vous en dis mot, ce qui s'est fait est fait.
Je sais qu'en vous flattant• le galant ne désire
Que de vous abuser•, et puis après s'en rire.

AGNÈS

Oh ! point. Il me l'a dit plus de vingt fois à moi.

ARNOLPHE

Ah ! vous ne savez pas ce que c'est que sa foi•.
595 Mais enfin apprenez qu'accepter des cassettes
Et de ces beaux blondins écouter les sornettes,
Que se laisser par eux, à force de langueur•,
Baiser ainsi les mains et chatouiller le cœur,
Est un péché mortel des plus gros qu'il se fasse.

AGNÈS

600 Un péché, dites-vous ! et la raison, de grâce ?

---

588 *si je retombe plus :* si je me fais prendre une autre fois.
591 *en vous flattant :* en vous charmant.
592 *abuser :* tromper.
594 *sa foi :* sa parole.
597 *à force de langueur :* parce qu'ils ont recours à la langueur c'est-à-dire qu'ils attendrissent par leurs soupirs.

ARNOLPHE

La raison ? La raison est l'arrêt prononcé
Que par ces actions le Ciel est courroucé.

AGNÈS

Courroucé ? Mais pourquoi faut-il qu'il s'en courrouce ?
C'est une chose, hélas ! si plaisante• et si douce !
605 J'admire quelle joie on goûte• à tout cela,
Et je ne savais point encor ces choses-là.

ARNOLPHE

Oui ; c'est un grand plaisir que toutes ces tendresses,
Ces propos si gentils et ces douces caresses ;
Mais il faut le goûter en toute honnêteté
610 Et qu'en se mariant le crime en soit ôté•.

AGNÈS

N'est-ce plus un péché lorsque l'on se marie ?

ARNOLPHE

Non.

AGNÈS

Mariez-moi donc promptement, je vous prie.

ARNOLPHE

Si vous le souhaitez, je le souhaite aussi,
Et pour vous marier on me revoit ici.

AGNÈS

615 Est-il possible ?

ARNOLPHE

Oui.

AGNÈS

Que vous me ferez aise• !

---

604 *plaisante :* agréable.
605 *j'admire quelle joie on goûte :* je suis émerveillée par la joie que l'on goûte.
610 *et qu'en se mariant le crime en soit ôté :* cette proposition est coordonnée à l'infinitif *goûter* (au vers précédent).
615 *aise :* plaisir.

ARNOLPHE

Oui, je ne doute point que l'hymen ne vous plaise.

AGNÈS

Vous nous voulez nous deux...

ARNOLPHE

Rien de plus assuré.

AGNÈS

Que, si cela se fait, je vous caresserai !

ARNOLPHE

Hé ! la chose sera de ma part réciproque.

AGNÈS

620 Je ne reconnais point, pour moi, quand on se moque.
Parlez-vous tout de bon ?

ARNOLPHE

Oui, vous le pourrez voir.

AGNÈS

Nous serons mariés ?

ARNOLPHE

Oui.

AGNÈS

Mais quand ?

ARNOLPHE

Dès ce soir.

AGNÈS, *riant.*

Dès ce soir ?

ARNOLPHE

Dès ce soir. Cela vous fait donc rire ?

AGNÈS

Oui.

ARNOLPHE

Vous voir bien contente est ce que je désire.

AGNÈS

625 Hélas ! que je vous ai grande obligation !
Et qu'avec lui j'aurai de satisfaction !

ARNOLPHE

Avec qui ?

AGNÈS

Avec… Là…

ARNOLPHE

Là… là n'est pas mon compte.
A choisir un mari vous êtes un peu prompte.
C'est un autre en un mot, que je vous tiens tout prêt,
630 Et quant au monsieur, *Là*, je prétends, s'il vous plaît,
Dût le mettre au tombeau le mal dont il vous berce•,
Qu'avec lui désormais vous rompiez tout commerce ;
Que, venant au logis•, pour votre compliment•
Vous lui fermiez au nez la porte honnêtement,
635 Et lui jetant, s'il heurte•, un grès• par la fenêtre,
L'obligiez tout de bon à ne plus y paraître.
M'entendez-vous, Agnès ? Moi, caché dans un coin,
De votre procédé je serai le témoin.

AGNÈS

Las ! il est si bien fait ! C'est…

ARNOLPHE

Ah ! que de langage• !

AGNÈS

640 Je n'aurai pas le cœur•…

---

631 *le mal dont il vous berce :* la maladie dont il ne cesse de vous parler pour vous tromper.
633 *venant au logis :* lorsqu'il viendra à la maison.
pour votre compliment : en guise de formule de politesse.
635 *s'il heurte :* s'il frappe à la porte.
un grès : un caillou, une pierre.
639 *que de langage :* que de discours.
640 *le cœur :* le courage.

ARNOLPHE

Point de bruit davantage.

Montez là-haut.

AGNÈS

Mais quoi ! voulez-vous...

ARNOLPHE

C'est assez.

Je suis maître, je parle : allez, obéissez.

QUESTIONS en vue de l'explication de la scène 5 :

1 *Cette longue scène qui réunit deux personnages peu exubérants — un digne bourgeois et une jeune fille « bien élevée » — n'est pourtant pas une scène* statique. *Essayez de dégager les éléments qui donnent l'impression de mouvement.*

2 *C'est la première fois que nous voyons* Agnès *si longtemps.*

a) *Faites un portrait de la jeune fille, telle que vous l'imaginez.*

b) *Montrez que, dès le début de la scène, ses répliques nous donnent d'elle l'image d'une jeune fille dont la qualité essentielle est la franchise.*

c) *Analysez ce qui, dans le récit qu'elle fait de son aventure et dans l'explication qui suit, confirme notre première impression.*

3 *On a pu dire d'Agnès que, malgré son honnêteté foncière, elle « oubliait » de dire à Arnolphe ce qui s'est passé en son absence (v. 461) et qu'elle passait sous silence l'épisode du ruban (v.* 579*). Comment peut-on expliquer ces «* silences *» ? A quel sentiment de la jeune fille faut-il les attribuer ?*

4 Arnolphe *a fait descendre Agnès pour un interrogatoire.*

a) *Comment obtient-il d'elle un aveu de ce qui s'est passé ?*

b) *Est-ce bien lui qui mène la discussion ?*

c) *Quels sont les traits de caractère d'Arnolphe qui nous le font paraître dissimulé ?*

d) *On rit beaucoup, dans cette scène : expliquez les raisons qui font qu'on ne rit pas de la jeune innocente et de ses inconvenances, mais de celui qui, parce qu'*il sait, *devrait être à l'abri du ridicule.*

• UN ACTE COMIQUE

On a beaucoup ri :

— lorsqu'Arnolphe a essayé en vain d'obtenir de ses domestiques une réponse à des questions que la colère l'empêchait de formuler clairement,

— lorsqu'Alain et Georgette ont disserté à leur manière sur l'amour et la jalousie,

— lorsqu'Arnolphe a dû subir un aveu qui le mettait dans une situation pour le moins inconfortable.

• Mais caractérisé aussi par une vive PROGRESSION DRAMATIQUE ET PSYCHOLOGIQUE

Le spectateur a pu s'apercevoir :

— qu'*Agnès est moins sotte qu'on n'avait pu le croire*. Son éducation ne l'a pas altérée, mais a simplement affecté la nature des rapports qu'elle entretient avec son « tuteur » : elle est *une jeune fille naïve qui découvre les douceurs de l'amour* qu'on se hâte de couvrir du voile du péché.

— qu'*Arnolphe est incapable de se maîtriser* et qu'il se contente de nier l'existence de ce qui peut le gêner : l'amour d'Agnès et d'Horace. Il nous semble qu'il n'a pas sur l'esprit d'Agnès le pouvoir qu'il se flattait d'avoir.

Mais on peut craindre le pire :

Arnolphe a repris la situation en main : il sait tout de l'amour qui lie Horace et Agnès et a décidé de provoquer une rupture. Or il a pour lui un *pouvoir absolu sur la jeune fille : la situation semble donc désespérée.*

ACTE III

SCÈNE PREMIÈRE : ARNOLPHE, AGNÈS, ALAIN, GEORGETTE

ARNOLPHE

Oui, tout a bien été, ma joie est sans pareille.
Vous avez là suivi mes ordres à merveille,
645 Confondu de tout point le blondin séducteur :
Et voilà de quoi sert un sage directeur.
Votre innocence, Agnès, avait été surprise :
Voyez, sans y penser, où vous vous étiez mise.
Vous enfiliez• tout droit, sans mon instruction•,
650 Le grand chemin d'enfer et de perdition.
De tous ces damoiseaux on sait trop les coutumes• :
Ils ont de beaux canons•, force rubans et plumes,
Grands cheveux, belles dents et des propos fort doux ;
Mais, comme je vous dis, la griffe est là-dessous,
655 Et ce sont vrais Satans, dont la gueule altérée
De l'honneur féminin cherche à faire curée•.
Mais, encore une fois, grâce au soin apporté,
Vous en êtes sortie avec honnêteté.
L'air dont je vous ai vu lui jeter cette pierre,
660 Qui de tous ses desseins a mis l'espoir par terre,
Me confirme encor mieux à ne point différer•
Les noces où• je dis qu'il vous faut préparer.
Mais, avant toute chose, il est bon de vous faire
Quelque petit discours qui vous soit salutaire.
665 Un siège au frais ici.
(A Georgette.)
Vous, si jamais en rien...

---

649 *vous enfiliez :* vous vous engagiez dans.
sans mon instruction : sans mes conseils.
651 *les coutumes :* les habitudes.
652 *canons :* ornements de dentelle qui s'attachaient au-dessous du genou.
656 *faire curée :* terme de vénerie. Se dit des chiens qui dévorent les entrailles de la bête prise à courre.
661 *me confirme encor mieux à ne point différer :* m'incite encore davantage à ne pas tarder.
662 *où :* auxquelles.

GEORGETTE

De toutes vos leçons nous nous souviendrons bien.
Cet autre monsieur-là nous en faisait accroire• ;
Mais...

ALAIN

S'il entre jamais, je veux jamais ne boire•.
Aussi bien est-ce un sot : il nous a l'autre fois
670 Donné deux écus d'or qui n'étaient pas de poids•.

ARNOLPHE

Ayez donc pour souper tout ce que je désire,
Et pour notre contrat, comme je viens de dire,
Faites venir ici, l'un ou l'autre au retour,
Le notaire qui loge au coin de ce carfour•.

SCÈNE II : ARNOLPHE, AGNÈS

ARNOLPHE, *assis.*

675 Agnès, pour m'écouter laissez là votre ouvrage.
Levez un peu la tête et tournez le visage ;
Là, regardez-moi là, durant cet entretien.
Et jusqu'au moindre mot imprimez-vous-le bien.
Je vous épouse, Agnès, et cent fois la journée
680 Vous devez bénir l'heur• de votre destinée,
Contempler la bassesse où vous avez été•,
Et dans le même temps admirer ma bonté
Qui, de ce vil état de pauvre villageoise,
Vous fait monter au rang d'honorable bourgeoise,

---

667 *nous en faisait accroire* : nous faisait croire des choses fausses.
668 *je veux jamais ne boire* : je ne boirai plus jamais.
670 *qui n'étaient pas de poids* : dont le poids d'or avait été diminué par les « rogneurs d'espèces » qui récupéraient ainsi un peu d'or sur chaque pièce.
674 *carfour* : carrefour. Orthographe conforme à la prononciation.
680 *l'heur* : la chance.
681 *la bassesse où vous avez été* : l'humilité de votre ancienne condition.

685 Et jouir de la couche et des embrassements
D'un homme qui fuyait tous ces engagements•
Et dont à vingt partis fort capables de plaire
Le cœur a refusé l'honneur qu'il vous veut faire.
Vous devez toujours, dis-je, avoir devant les yeux
690 Le peu que vous étiez• sans ce nœud glorieux,
Afin que cet objet• d'autant mieux vous instruise
A mériter l'état où• je vous aurai mise,
A toujours vous connaître, et faire qu'à jamais
Je puisse me louer de l'acte que je fais.
695 Le mariage, Agnès, n'est pas un badinage.
A d'austères devoirs le rang de femme engage,
Et vous n'y montez pas, à ce que je prétends,
Pour être libertine• et prendre du bon temps.
Votre sexe n'est là que pour la dépendance :
700 Du côté de la barbe est la toute-puissance.
Bien qu'on soit deux moitiés de la société•,
Ces deux moitiés pourtant n'ont point d'égalité :
L'une est moitié suprême, et l'autre subalterne ;
L'une en tout est soumise à l'autre, qui gouverne ;
705 Et ce que le soldat, dans son devoir instruit,
Montre d'obéissance au chef qui le conduit,
Le valet à son maître, un enfant à son père,
A son supérieur le moindre petit frère•,
N'approche point encor de la docilité,
710 Et de l'obéissance, et de l'humilité,
Et du profond respect, où la femme doit être
Pour son mari, son chef, son seigneur et son maître.

---

686 *tous ces engagements :* toutes les liaisons sentimentales de ce genre.
690 *le peu que vous étiez :* la personne de peu de conséquence que vous auriez été. L'indicatif (*étiez*) remplace ici le conditionnel.
691 *cet objet :* cette idée (que vous devez avoir sans cesse à l'esprit).
692 *où :* dans lequel.
698 *libertine :* indisciplinée, négligeant ses devoirs.
701 *société :* terme juridique : une association.
708 *petit frère :* se disait d'un religieux employé au service d'un monastère. On disait aussi « frère convers ».

Lorsqu'il jette sur elle un regard sérieux,
Son devoir aussitôt est de baisser les yeux,
715 Et de n'oser jamais le regarder en face
Que quand d'un doux regard il lui veut faire grâce•.
C'est ce qu'entendent• mal les femmes d'aujourd'hui.
Mais ne vous gâtez pas sur• l'exemple d'autrui.
Gardez-vous d'imiter ces coquettes vilaines
720 Dont par toute la ville on chante les fredaines•,
Et de vous laisser prendre aux assauts du malin•,
C'est-à-dire d'ouïr• aucun jeune blondin.
Songez qu'en vous faisant moitié de ma personne,
C'est mon honneur, Agnès, que je vous abandonne ;
725 Que cet honneur est tendre et se blesse de peu ;
Que sur un tel sujet, il ne faut point de jeu,
Et qu'il est aux enfers des chaudières bouillantes•
Où l'on plonge à jamais les femmes mal vivantes•.
Ce que je vous dis là ne sont pas des chansons,
730 Et vous devez du cœur dévorer ces leçons.
Si votre âme les suit et fuit d'être coquette•,
Elle sera toujours comme un lis blanche et nette ;
Mais, s'il faut qu'à l'honneur elle fasse un faux bond•,
Elle deviendra lors• noire comme un charbon ;
735 Vous paraîtrez à tous un objet effroyable,
Et vous irez un jour, vrai partage du diable,
Bouillir dans les enfers à toute éternité,

---

716 *lui faire grâce :* lui faire la grâce ; omission fréquente de l'article défini.
717 *entendent :* comprennent.
718 *ne vous gâtez pas sur :* ne perdez pas votre réputation en imitant.
720 *fredaines :* les folies (langage familier).
721 *malin :* diable.
722 *ouïr :* écouter.
727 *chaudières bouillantes :* de grandes marmites pour faire bouillir.
728 *mal vivantes :* vivant mal. La langue moderne préfère le participe invariable.
731 *et fuit d'être coquette :* et se garde d'être coquette.
733 *un faux bond :* un manquement.
734 *lors :* alors.

Dont• vous veuille garder la céleste bonté.
Faites la révérence. Ainsi qu'une novice•
740 Par cœur dans le couvent doit savoir son office•,
Entrant au mariage, il en faut faire autant :

(Il se lève)

Et voici dans ma poche un écrit important
Qui vous enseignera l'office de la femme.
J'en ignore l'auteur, mais c'est quelque bonne âme,
745 Et je veux que ce soit votre unique entretien•.
Tenez. Voyons un peu si vous le lirez bien.

AGNÈS *lit.*

LES MAXIMES DU MARIAGE

OU

LES DEVOIRS DE LA FEMME MARIÉE,

Avec son exercice journalier.

Ire MAXIME

Celle qu'un lien honnête
Fait entrer au lit d'autrui
Doit se mettre dans la tête,
750 Malgré le train• d'aujourd'hui,
Que l'homme qui la prend ne la prend que pour lui.

ARNOLPHE

Je vous expliquerai ce que cela veut dire ;
Mais, pour l'heure présente, il ne faut rien que lire.

---

738 *dont :* et de cela. Cet emploi du relatif dit « de liaison » est imité du latin.
739 *novice :* se dit d'une personne qui, entrée au couvent, n'a pas encore prononcé ses vœux.
740 *office :* prières et lectures que chaque religieux est tenu de faire chaque jour.
745 *votre unique entretien :* votre seule lecture.
750 *le train :* la façon de vivre.

AGNÈS *poursuit.*

IIe MAXIME

Elle ne se doit parer
755 Qu'autant que peut désirer
Le mari qui la possède.
C'est lui que touche seul le soin de sa beauté,
Et pour rien doit être compté
Que les autres la trouvent laide.

IIIe MAXIME

760 Loin ces études d'œillades,
Ces eaux, ces blancs•, ces pommades,
Et mille ingrédients qui font des teints fleuris !
A l'honneur tous les jours ce sont drogues mortelles,
Et les soins de paraître belles
765 Se prennent peu pour les maris.

IVe MAXIME

Sous sa coiffe, en sortant, comme l'honneur l'ordonne
Il faut que de ses yeux elle étouffe les coups :
Car, pour bien plaire à son époux,
Elle ne doit plaire à personne.

Ve MAXIME

770 Hors ceux dont au mari la visite se rend,
La bonne règle défend
De recevoir aucune âme :
Ceux qui, de galante humeur,
N'ont affaire qu'à Madame,
775 N'accommodent• pas Monsieur.

VIe MAXIME

Il faut des présents des hommes
Qu'elle se défende bien :
Car, dans le siècle où nous sommes,
On ne donne rien pour rien.

---

761 *ces blancs :* ces fards (fabriqués avec du blanc de céruse).
775 *n'accommodent pas :* ne plaisent pas à.

VIIᵉ MAXIME

780 Dans ses meubles, dût-elle en avoir de l'ennui,
Il ne faut écritoire, encre, papier ni plumes.
Le mari doit, dans les bonnes coutumes,
Écrire tout ce qui s'écrit chez lui.

VIIIᵉ MAXIME

Ces sociétés déréglées,
785 Qu'on nomme belles assemblées,
Des femmes, tous les jours, corrompent les esprits.
En bonne politique•, on les doit interdire,
Car c'est là que l'on conspire
Contre les pauvres maris.

---

787 *en bonne politique :* lorsqu'on est habile à diriger sa maison.

QUESTIONS en vue de l'explication de la scène 2 :

Arnolphe :

a) *Nous venons d'apprendre que le plan d'Arnolphe a réussi et qu'Horace a été chassé. Qu'est-ce qui, dans le comportement d'Arnolphe, manifeste qu'il est particulièrement satisfait ?*

b) *Dans la première partie de sa tirade (vv. 675-694) Arnolphe explique solennellement à la jeune fille qu'il a l'intention de l'épouser :*
— Comment définit-il ce mariage ?
— Pourquoi adopte-t-il un ton si grandiose ?

c) *Arnolphe évoque ensuite les devoirs d'une épouse (vv. 695-716) : quelle conception a-t-il de ces devoirs ? Ne pensez-vous pas qu'un bon nombre d'hommes avaient — ou ont encore — une conception du même ordre ?*

d) *Pourquoi Arnolphe continue-t-il son discours après le v. 716 ? Montrez qu'une fois encore, à travers le sermon d'Arnolphe sur l'enfer et ses châtiments, Molière fait la critique d'une certaine conception de la religion.*

Agnès :

e) *Comment Agnès s'est-elle comportée durant cette longue homélie ? Sur quel ton devra-t-elle lire les* Maximes *?*

IXe Maxime

790 Toute femme qui veut à l'honneur se vouer•
Doit se défendre de jouer,
Comme d'une chose funeste :
Car ce jeu fort décevant,
Pousse une femme souvent
795 A jouer de tout son reste•.

Xe Maxime

Des promenades du temps•,
Ou repas qu'on donne aux champs,
Il ne faut pas qu'elle essaye• :
Selon les prudents cerveaux,
800 Le mari dans ces cadeaux•,
Est toujours celui qui paye.

XIe Maxime...

ARNOLPHE

Vous achèverez seule, et pas à pas• tantôt•
Je vous expliquerai ces choses comme il faut.
Je me suis souvenu d'une petite affaire ;
805 Je n'ai qu'un mot à dire et ne tarderai guère.
Rentrez, et conservez ce livre chèrement•.
Si le notaire vient, qu'il m'attende un moment.

---

790 *à l'honneur se vouer :* prononcer le vœu (comme on prononce des vœux au couvent) de respecter l'honneur.
795 *à jouer de tout son reste :* expression équivoque qui signifie que la femme est amenée à tout perdre.
796 *du temps :* d'aujourd'hui.
798 *qu'elle essaye :* qu'elle goûte.
800 *cadeaux :* repas, fêtes que l'on donne, principalement à des femmes.
802 *pas à pas :* en détail.
tantôt : bientôt.
806 *chèrement :* comme un objet qui vous est cher.

SCÈNE III : ARNOLPHE

Je ne puis faire mieux que d'en faire ma femme.
Ainsi que je voudrai je tournerai• cette âme :
810 Comme un morceau de cire entre mes mains elle est,
Et je lui puis donner la forme qui me plaît.
Il s'en est peu fallu que, durant mon absence,
On ne m'ait attrapé par son trop d'innocence ;
Mais il vaut beaucoup mieux, à dire vérité,
815 Que la femme qu'on a pèche de ce côté•.
De ces sortes d'erreurs le remède est facile :
Toute personne simple aux leçons est docile,
Et si du bon chemin on l'a fait écarter,
Deux mots incontinent• l'y peuvent rejeter.
820 Mais une femme habile• est bien une autre bête :
Notre sort ne dépend que de sa seule tête•,
De ce qu'elle s'y• met rien ne la fait gauchir•,
Et nos enseignements ne font là que blanchir•.
Son bel esprit lui sert à railler nos maximes,
825 A se faire souvent des vertus de ses crimes,
Et trouver, pour venir à ses coupables fins,
Des détours à duper• l'adresse des plus fins.
Pour se parer du• coup en vain on se fatigue :
Une femme d'esprit est un diable en intrigue,
830 Et, dès que son caprice a prononcé tout bas
L'arrêt• de notre honneur, il faut passer le pas•.

---

809 *je tournerai :* je façonnerai au tour, comme un potier.
815 *pèche de ce côté :* Arnolphe veut dire qu'il vaut mieux avoir une femme « qui pèche par excès d'innocence », c'est-à-dire soit sotte à l'excès.
819 *incontinent :* tout de suite.
820 *habile :* intelligente.
821 *de sa seule tête :* de sa seule bonne ou mauvaise volonté.
822 *y :* dans la tête.
gauchir : dévier.
823 *blanchir :* être inutile (vocabulaire de la guerre : se dit d'un coup de feu qui a porté sur les armes sans les fausser.)
827 *à duper :* capables de duper.
828 *se parer du :* parer le.
831 *l'arrêt :* la condamnation.
passer le pas : passer par le mauvais pas, la situation désagréable dans laquelle on a été mis.

Beaucoup d'honnêtes gens en pourraient bien que dire•.
Enfin mon étourdi n'aura pas lieu d'en rire :
Par son trop de caquet• il a ce qu'il lui faut.
835 Voilà de nos Français l'ordinaire défaut.
Dans la possession d'une bonne fortune,
Le secret est toujours ce qui les importune,
Et la vanité sotte a pour eux tant d'appas
Qu'ils se pendraient plutôt que de ne causer pas.
840 Eh ! que les femmes sont du diable• bien tentées
Lorsqu'elles vont choisir ces têtes éventées•,
Et que... Mais le voici, cachons-nous• toujours bien,
Et découvrons• un peu quel chagrin• est le sien.

SCÈNE IV : HORACE, ARNOLPHE

HORACE

Je reviens de chez vous, et le destin me montre
845 Qu'il n'a pas résolu que je vous y rencontre.
Mais j'irai tant de fois qu'enfin quelque moment...

ARNOLPHE

Hé ! mon Dieu, n'entrons point dans ce vain compliment•.
Rien ne me fâche tant que ces cérémonies•,
Et, si l'on m'en croyait, elles seraient bannies.
850 C'est un maudit usage, et la plupart des gens
Y perdent sottement les deux tiers de leur temps.

---

832 *en pourraient bien que dire :* pourraient en dire bien des choses. (Tournure elliptique où *que* est sans doute un pronom relatif neutre comme dans la vieille expression « faire (ce) que (ferait un) sage ».)
834 *par son trop de caquet :* parce qu'il en a trop dit.
840 *du diable :* par le diable.
841 *éventées :* légères, étourdies (expression familière).
842 *cachons-nous :* cachons-lui qui nous sommes.
843 *découvrons :* faisons-lui dire.
chagrin : tourment (sens fort).
847 *compliment :* formule de politesse.
848 *cérémonies :* marques extérieures de politesse.

Mettons• donc, sans façons. Hé bien ! vos amourettes ?
Puis-je, Seigneur Horace, apprendre où vous en êtes ?
J'étais tantôt• distrait par quelque vision• ;
855 Mais, depuis, là-dessus, j'ai fait réflexion :
De vos premiers progrès j'admire la vitesse,
Et dans l'événement mon âme s'intéresse.

HORACE

Ma foi, depuis qu'à vous s'est découvert mon cœur,
Il est à mon amour arrivé du malheur.

ARNOLPHE

860 Oh ! oh ! comment cela ?

HORACE

La fortune cruelle
A ramené des champs le patron• de la belle.

ARNOLPHE

Quel malheur !

HORACE

Et de plus, à mon très grand regret
Il a su de nous deux le commerce• secret.

ARNOLPHE

D'où, diantre, a-t-il sitôt appris cette aventure ?

HORACE

865 Je ne sais ; mais enfin c'est une chose sûre.
Je pensais aller rendre, à mon heure• à peu près,
Ma petite visite à ses jeunes attraits,
Lorsque, changeant pour moi de ton et de visage,
Et servante et valet m'ont bouché le passage,

---

852 *mettons :* couvrons-nous, c'est une invitation à mettre leur chapeau.
854 *tantôt :* tout à l'heure, lors de notre précédente rencontre.
vision : idée (qui occupait mon esprit).
861 *patron :* protecteur (ironique).
863 *le commerce :* les relations.
866 *à mon heure :* à l'heure qui m'était habituelle.

870 Et d'un : *Retirez-vous, vous nous importunez*,
M'ont assez rudement fermé la porte au nez.

ARNOLPHE

La porte au nez !

HORACE

Au nez.

ARNOLPHE

La chose est un peu forte.

HORACE

J'ai voulu leur parler au travers de la porte ;
Mais à tous mes propos ce qu'ils m'ont répondu,
875 C'est : *Vous n'entrerez point, Monsieur l'a défendu.*

ARNOLPHE

Ils n'ont donc point ouvert ?

HORACE

Non ; et de la fenêtre
Agnès m'a confirmé le retour de ce maître
En me chassant de là d'un ton plein de fierté,
Accompagné d'un grès que sa main a jeté.

ARNOLPHE

880 Comment, d'un grès ?

HORACE

D'un grès de taille non petite,
Dont on a par ses mains régalé• ma visite.

ARNOLPHE

Diantre ! ce ne sont pas des prunes• que cela,
Et je trouve fâcheux l'état où vous voilà•.

---

881 *régalé :* agrémenté. Le verbe, « régaler », s'utilise pour parler des présents d'hospitalité.
882 *des prunes :* expression familière : peu de choses.
883 *l'état où vous voilà :* la situation dans laquelle vous vous trouvez.

HORACE

Il est vrai, je suis mal par ce retour funeste.

ARNOLPHE

885 Certes j'en suis fâché pour vous, je vous proteste•.

HORACE

Cet homme me rompt tout•.

ARNOLPHE

Oui, mais cela n'est rien,

Et de vous raccrocher vous trouverez moyen.

HORACE

Il faut bien essayer par quelque intelligence•
De vaincre du jaloux l'exacte vigilance•.

ARNOLPHE

890 Cela vous est facile, et la fille, après tout,
Vous aime ?

HORACE

Assurément.

ARNOLPHE

Vous en viendrez à bout.

HORACE

Je l'espère.

ARNOLPHE

Le grès vous a mis en déroute ;
Mais cela ne doit pas vous étonner•.

---

885 *je vous proteste :* je vous assure.
886 *me rompt tout :* contrarie tous mes projets.
888 *intelligence :* moyen de communiquer (avec Agnès).
889 *exacte vigilance :* vigilance de tous les instants.
893 *étonner :* déconcerter (sens fort).

HORACE

Sans doute ;

Et j'ai compris d'abord• que mon homme était là,
895 Qui, sans se faire voir, conduisait tout cela.
Mais ce qui m'a surpris, et qui va vous surprendre,
C'est un autre incident que vous allez entendre,
Un trait hardi qu'a fait cette jeune beauté,
Et qu'on n'attendrait point de sa simplicité.
900 Il le faut avouer, l'amour est un grand maître.
Ce qu'on ne fut jamais, il nous enseigne à l'être,
Et souvent de nos mœurs l'absolu changement
Devient par ses leçons l'ouvrage d'un moment.
De la nature en nous il force les obstacles,
905 Et ses effets soudains ont de l'air des miracles• :
D'un avare à l'instant il fait un libéral•,
Un vaillant d'un poltron, un civil• d'un brutal•,
Il rend agile à tout l'âme la plus pesante,
Et donne de l'esprit à la plus innocente.
910 Oui, ce dernier miracle éclate• dans Agnès,
Car, tranchant• avec moi par ces termes exprès• :
Retirez-vous, mon âme aux visites renonce ;
Je sais tous vos discours, et voilà ma réponse,
Cette pierre, ou ce grès, dont vous vous étonniez,
915 Avec un mot• de lettre est tombée à mes pieds ;
Et j'admire de voir cette lettre ajustée•
Avec le sens des mots et la pierre jetée•.
D'une telle action n'êtes-vous pas surpris ?

---

894 *d'abord :* dès l'abord.
905 *ont de l'air des miracles :* ressemblent à des miracles.
906 *libéral :* généreux.
907 *un civil :* un homme poli.
un brutal : un homme grossier.
910 *éclate :* se manifeste de façon éclatante.
911 *tranchant :* coupant court à la conversation.
ces termes exprès : ces paroles (que je vais citer) qui sont prononcées à cette fin.
915 *mot :* se dit de ce qu'on écrit à quelqu'un en peu de paroles.
916 *ajustée :* en parfait accord.
917 *la pierre jetée :* le fait qu'elle a jeté la pierre (tournure latine).

L'amour sait-il pas• l'art d'aiguiser les esprits ?
920 Et peut-on me nier que ses flammes puissantes
Ne fassent dans un cœur des choses étonnantes• ?
Que dites-vous du tour et de ce mot d'écrit ?
Euh ! n'admirez-vous point cette adresse d'esprit ?
Trouvez-vous pas plaisant de voir quel personnage
925 A joué mon jaloux dans tout ce badinage• ?
Dites.

ARNOLPHE

Oui, fort plaisant.

HORACE

Riez-en donc un peu.

(Arnolphe rit d'un ris forcé.)

Cet homme gendarmé• d'abord contre mon feu•,
Qui chez lui se retranche• et de grès fait parade•,
Comme si j'y voulais entrer par escalade,
930 Qui pour me repousser, dans son bizarre• effroi,
Anime du dedans tous ses gens contre moi,
Et qu'abuse• à ses yeux, par sa machine même•,
Celle qu'il veut tenir dans l'ignorance extrême !
Pour moi, je vous l'avoue, encor que son retour
935 En un grand embarras jette ici• mon amour,
Je tiens cela plaisant• autant qu'on saurait dire ;
Je ne puis y songer sans de bon cœur en rire ;
Et vous n'en riez pas assez, à mon avis.

---

919 *sait-il pas :* ne sait-il pas.
921 *étonnantes :* stupéfiantes (sens fort).
925 *dans tout ce badinage :* dans cette plaisante histoire.
927 *gendarmé :* irrité.
feu : amour.
928 *se retranche :* se met à couvert (terme de guerre).
et de grès fait parade : et se défend à coups de pierres.
930 *bizarre :* extravagant, fantasque.
932 *abuse :* trompe.
par sa machine même : grâce à la machination qu'il a lui-même imaginée.
935 *ici :* aujourd'hui.
936 *je tiens cela plaisant :* je considère cela comme amusant.

ARNOLPHE, *avec un ris forcé.*

Pardonnez-moi, j'en ris tout autant que je puis.

HORACE

940 Mais il faut qu'en ami• je vous montre la lettre.
Tout ce que son cœur sent, sa main a su l'y mettre,
Mais en termes touchants, et tous pleins• de bonté•,
De tendresse innocente et d'ingénuité ;
De la manière enfin que la pure nature
945 Exprime de l'amour la première blessure.

ARNOLPHE, *bas.*

Voilà, friponne, à quoi l'écriture te sert,
Et contre mon dessein l'art t'en fut découvert •.

HORACE *lit.*

Je veux vous écrire, et je suis bien en peine par où• je m'y prendrai. J'ai des pensées que je désirerais que vous sussiez ; mais je ne sais comment faire pour vous les dire, et je me défie de mes paroles. Comme je commence à connaître• qu'on m'a toujours tenue dans l'ignorance, j'ai peur de mettre quelque chose qui ne soit pas bien, et d'en dire plus que je ne devrais. En vérité, je ne sais ce que vous m'avez fait, mais je sens que je suis fâchée à mourir de ce qu'on me fait faire contre vous, que j'aurai toutes les peines du monde à me passer de vous, et que je serais bien aise d'être à vous. Peut-être qu'il y a du mal à dire cela ; mais enfin je ne puis m'empêcher de le dire, et je voudrais que cela se pût faire sans qu'il y en eût. On me dit fort que tous les jeunes hommes sont des trompeurs, qu'il ne les faut point écouter, et que tout ce que vous me dites n'est que pour m'abuser• ; mais je vous assure que

---

940 *en ami :* parce que je suis votre ami.

942 *tous pleins :* tout pleins. La langue moderne considère *tout* (tout à fait) comme un adverbe et ne l'accorde donc pas ; la langue classique hésitait entre l'adjectif et l'adverbe. *bonté :* ce substantif désigne tout ce qui, dans la lettre, est signe de simplicité et, sans doute aussi, tout ce qu'Horace y trouve d'agréable.

947 *et contre mon dessein l'art t'en fut découvert :* c'est malgré moi qu'on t'a appris (à écrire).

1.1 *je suis bien en peine par où :* je suis bien embarrassée de savoir par où (tournure héritée du latin).

1.4 *connaître :* comprendre.

1.14 *n'est que pour m'abuser :* n'est dit que pour me tromper.

je n'ai pu encore me figurer• cela de vous ; et je suis si touchée de vos paroles que je ne saurais croire qu'elles soient menteuses. Dites-moi franchement ce qui en est : car enfin, comme je suis sans malice•, vous auriez le plus grand tort du monde si vous me trompiez, et je pense que j'en mourrais de déplaisir•.

ARNOLPHE, *à part.*

Hon ! chienne !

HORACE

Qu'avez-vous ?

ARNOLPHE

Moi ? rien ; c'est que je tousse.

HORACE

Avez-vous jamais vu d'expression plus douce ?
950 Malgré les soins maudits d'un injuste pouvoir,
Un plus beau naturel peut-il se faire voir ?
Et n'est-ce pas sans doute un crime punissable
De gâter méchamment• ce fonds d'âme admirable,
D'avoir dans l'ignorance et la stupidité
955 Voulu de cet esprit étouffer la clarté ?
L'amour a commencé d'en déchirer le voile,
Et si, par la faveur de quelque bonne étoile,
Je puis, comme j'espère, à ce franc animal•,
Ce traître, ce bourreau, ce faquin•, ce brutal•...

ARNOLPHE

960 Adieu.

HORACE

Comment ! si vite ?

1.15 *me figurer :* m'imaginer.
1.18 *malice :* méchanceté.
1.19 *déplaisir :* chagrin (sens fort).
953 *méchamment :* par méchanceté.
958 *ce franc animal :* cet individu qui n'est vraiment qu'un animal (franc renforce l'injure au sens de « vrai »).
959 *faquin :* canaille, individu sot et prétentieux.
brutal : homme grossier.

ARNOLPHE

Il m'est dans la pensée
Venu tout maintenant• une affaire pressée.

HORACE

Mais ne sauriez-vous point, comme• on la tient de près,
Qui dans cette maison pourrait avoir accès ?
J'en use sans scrupule, et ce n'est pas merveille•
965 Qu'on se puisse entre amis servir à la pareille• ;
Je n'ai plus là dedans que gens pour m'observer•,
Et servante et valet, que je viens de trouver,
N'ont jamais, de quelque air que je m'y sois pu prendre•,

---

961 *tout maintenant* : à l'instant.
962 *comme* : puisque.
964 *et ce n'est pas merveille* : et il n'y a rien d'extraordinaire.
965 *à la pareille* : à charge de revanche.
966 *m'observer* : m'épier.
968 *de quelque air que je m'y sois pu prendre* : quand le verbe dont dépend un infinitif réfléchi est placé entre le pronom et cet infinitif, l'usage classique était de lui donner l'auxiliaire *être* des verbes réfléchis : de quelque manière que j'aie pu m'y prendre.

QUESTIONS en vue de l'explication de la scène 4 :

Arnolphe :

1 *Quel est l'état d'esprit d'Arnolphe lorsque Horace l'aborde ? Montrez ce qui, dans ses répliques, le trahit.*

2 *Quels conseils donneriez-vous à un acteur incarnant Arnolphe pour l'interprétation des deux parties de la scène ?*

Horace :

3 a) *Horace vient d'être chassé de la maison d'Agnès, il a des raisons d'être abattu ; précisez lesquelles. Sur quel ton aborde-t-il Arnolphe ? Qu'est-ce qui le réconforte ?*

b) *Expliquez pourquoi le récit d'Horace plonge Arnolphe progressivement dans l'angoisse.*

c) *Pourquoi Horace veut-il tant obtenir l'approbation d'Arnolphe ?*

4 *Comment peut-on expliquer, de la part d'Agnès, qu'elle ait fait parvenir une lettre à Horace ?*

Adouci leur rudesse à• me vouloir entendre.
970 J'avais pour de tels coups certaine vieille en main•,
D'un génie•, à vrai dire, au-dessus de l'humain.
Elle m'a dans l'abord• servi de bonne sorte,
Mais depuis quatre jours la pauvre femme est morte.
Ne me pourriez-vous point ouvrir quelque moyen• ?

ARNOLPHE

975 Non, vraiment, et sans moi vous en trouverez bien.

HORACE

Adieu donc. Vous voyez ce que je vous confie•.

SCÈNE V : ARNOLPHE

Comme il faut devant lui que je me mortifie• !
Quelle peine à cacher mon déplaisir• cuisant !
Quoi ! pour une innocente, un esprit si présent• !
980 Elle a feint d'être telle à mes yeux, la traîtresse,
Ou le diable à son âme a soufflé cette adresse.
Enfin me voilà mort par ce funeste écrit.
Je vois qu'il a, le traître, empaumé• son esprit,
Qu'à ma suppression• il s'est ancré chez elle,
985 Et c'est mon désespoir et ma peine mortelle.

---

969 *à :* jusqu'à.
970 *en main :* à ma disposition.
971 *génie :* talent.
972 *dans l'abord :* pour commencer, au début.
974 *ouvrir quelque moyen :* me trouver quelque moyen d'accès (auprès d'Agnès).
976 *vous voyez ce que je vous confie :* façon de rappeler à Arnolphe que ce sont là des confidences importantes et qu'il faut qu'il les garde secrètes.
977 *que je me mortifie :* que je m'impose des humiliations.
978 *déplaisir :* chagrin (sens fort).
979 *un esprit si présent :* une telle présence d'esprit.
983 *empaumé :* mis dans sa main. Expression familière pour dire qu'on s'est emparé, qu'on est maître de quelqu'un ou de quelque chose.
984 *à ma suppression :* pour me supplanter.

Je souffre doublement dans le vol de son cœur,
Et l'amour y pâtit aussi bien que l'honneur.
J'enrage de trouver cette place usurpée•,
Et j'enrage de voir ma prudence• trompée.
990 Je sais que pour punir son amour libertin
Je n'ai qu'à laisser faire à son mauvais destin•,
Que je serai vengé d'elle par elle-même ;
Mais il est bien fâcheux de perdre ce qu'on aime.
Ciel ! puisque pour un choix j'ai tant philosophé•,
995 Faut-il de ses appas m'être si fort coiffé• !
Elle n'a ni parents, ni support•, ni richesse ;
Elle trahit mes soins, mes bontés, ma tendresse ;
Et cependant je l'aime, après ce lâche tour,
Jusqu'à ne me pouvoir passer de cet amour.
1000 Sot, n'as-tu point de honte ? Ah ! je crève, j'enrage
Et je soufflèterais mille fois mon visage.
Je veux entrer un peu, mais seulement pour voir
Quelle est sa contenance après un trait si noir.
Ciel ! faites que mon front soit exempt de disgrâce•,
1005 Ou bien, s'il est écrit qu'il faille que j'y passe,
Donnez-moi, tout au moins, pour de tels accidents,
La constance• qu'on voit à de certaines gens.

---

988 *usurpée* : illégalement occupée.
989 *prudence* : vigilance.
991 *laisser faire à son mauvais destin* : l'abandonner à son sort nécessairement malheureux.
993 *philosophé* : raisonné.
995 *m'être si fort coiffé* : m'être tant attaché.
996 *support* : soutien.
1004 *que mon front soit exempt de disgrâce* : que mon front ne porte pas de cornes.
1007 *la constance* : la force d'âme.

L'ACTE III S'ORGANISE EN DEUX MOUVEMENTS ANTITHÉTIQUES ET SYMÉTRIQUES :

- **Arnolphe a d'abord triomphé :**

— Ses domestiques ne se sont pas laissé corrompre par Horace qu'ils ont même un peu rudoyé.

— Son plan a donc réussi et *le blondin* a été chassé par Agnès qui, selon ses ordres, lui a jeté une pierre.

— *Il peut annoncer à Agnès qu'il va l'épouser* (il a envoyé chercher le notaire) et lui expliquer les devoirs auxquels son nouvel état l'engage.

— Il a laissé éclater sa satisfaction dans un monologue et s'en est pris, une fois de plus, à ses concitoyens qui sont assez sots pour épouser des femmes d'esprit.

— Il a même pu, pendant quelques instants, savourer le chagrin d'Horace.

- **Mais la chute n'en a été ensuite que plus brutale :**

— *Il a appris qu'il a été trompé par Agnès* qui, avec la pierre, a jeté une lettre à Horace.

— *Il a eu confirmation de l'amour réciproque qui lie Horace et Agnès.*

— Il a dû subir toutes les injures qu'Horace adresse au jaloux d'Agnès.

Arnolphe est, pour l'heure, trop inquiet pour s'occuper de ce que va tenter Horace. Il se demande en effet ce qu'il doit craindre et s'avise pour la première fois qu'il pourrait être amoureux d'Agnès.

Il pénètre dans la maison pour tâcher d'en savoir davantage.

ACTE IV

SCÈNE PREMIÈRE : ARNOLPHE

J'ai peine, je l'avoue, à demeurer en place,
Et de mille soucis mon esprit s'embarrasse
1010 Pour pouvoir mettre un ordre et dedans et dehors•
Qui du godelureau• rompe tous les efforts.
De quel œil la traîtresse a soutenu ma vue !
De tout ce qu'elle a fait elle n'est point émue,
Et bien qu'elle me mette à deux doigts du trépas,
1015 On dirait, à la voir, qu'elle n'y touche pas•.
Plus en la regardant je la voyais tranquille,
Plus je sentais en moi s'échauffer une bile• ;
Et ces bouillants transports dont s'enflammait mon cœur
Y semblaient redoubler mon amoureuse ardeur.
1020 J'étais aigri, fâché, désespéré contre elle,

1010 *et dedans et dehors :* dans la maison et au-dehors.
1011 *godelureau :* jeune séducteur, joli-cœur.
1015 *elle n'y touche pas :* elle n'est pas concernée ; se dit d'une personne fine et dissimulée.
1017 *bile :* colère.

QUESTIONS en vue de l'explication de la scène 1 :

1 *On se demande, lorsque commence l'acte IV, si Arnolphe a eu une explication avec Agnès. Il nous apprend qu'il a bien vu la jeune fille ; mais dans quelles conditions s'est déroulé cet entretien ? Comment s'explique cette nouvelle attitude d'Arnolphe par rapport à Agnès ?*

2 *Arnolphe se dit amoureux d'Agnès : qu'en pensez-vous ? quels sont les sentiments qui le dominent à la fin de sa tirade ?*

3 *Comparez ce que dit Arnolphe au récit qu'Horace fait de cette aventure (scène 6, vv. 1157-1162) : quels renseignements complémentaires le jeune homme nous fournit-il sur l'attitude d'Arnolphe ? Cela doit-il modifier notre jugement sur les sentiments d'Arnolphe pour Agnès ?*

Et cependant jamais je ne la vis si belle ;
Jamais ses yeux aux miens n'ont paru si perçants,
Jamais je n'eus pour eux des désirs si pressants,
Et je sens là dedans• qu'il faudra que je crève
1025 Si de mon triste• sort la disgrâce s'achève.
Quoi ! j'aurai dirigé son éducation
Avec tant de tendresse et de précaution,
Je l'aurai fait passer• chez moi dès son enfance,
Et j'en aurai chéri la plus tendre espérance,
1030 Mon cœur aura bâti• sur ses attraits naissants,
Et cru la mitonner• pour moi durant treize ans,
Afin qu'un jeune fou dont elle s'amourache
Me la vienne enlever jusque sur la moustache•,
Lorsqu'elle est avec moi mariée à demi ?
1035 Non, parbleu ! non, parbleu ! petit sot, mon ami,
Vous aurez beau tourner : ou j'y perdrai mes peines,
Ou je rendrai, ma foi, vos espérances vaines,
Et de moi tout à fait vous ne vous rirez point.

SCÈNE II : LE NOTAIRE, ARNOLPHE

LE NOTAIRE

Ah ! le voilà ! Bonjour : me voici tout à point•
1040 Pour dresser le contrat que vous souhaitez faire.

ARNOLPHE, *sans le voir.*

Comment faire ?

LE NOTAIRE

Il le faut dans la forme ordinaire.

1024 *là dedans :* dans ma poitrine (indication d'un geste).
1025 *triste :* tragique.
1028 *je l'aurai fait passer :* je l'aurai amenée.
1030 *aura bâti :* aura conçu des projets.
1031 *mitonner :* mijoter. Terme de cuisine.
1033 *jusque sur la moustache :* contre mon gré et sans que je puisse rien faire.
1039 *tout à point :* juste au bon moment.

ARNOLPHE, *sans le voir.*

A mes précautions• je veux songer de près.

LE NOTAIRE

Je ne passerai• rien contre vos intérêts.

ARNOLPHE, *sans le voir.*

Il se faut garantir de toutes les surprises.

LE NOTAIRE

1045 Suffit• qu'entre mes mains vos affaires soient mises.
Il ne vous faudra point, de peur d'être déçu•,
Quittancer• le contrat que vous n'ayez reçu•.

ARNOLPHE, *sans le voir.*

J'ai peur, si je vais faire éclater quelque chose•,
Que de cet incident par la ville on ne cause.

LE NOTAIRE

1050 Eh bien, il est aisé d'empêcher cet éclat,
Et l'on peut en secret faire votre contrat.

ARNOLPHE, *sans le voir.*

Mais comment faudra-t-il qu'avec elle j'en sorte ?

LE NOTAIRE

Le douaire se règle au bien qu'on vous apporte•.

ARNOLPHE, *sans le voir.*

Je l'aime, et cet amour est mon grand embarras.

1042 *mes précautions :* aux précautions particulières que je veux prendre.
1043 *je ne passerai :* je ne ferai figurer dans le contrat.
1045 *suffit :* il suffit.
1046 *déçu :* trompé.
1047 *quittancer :* donner quittance (c'est-à-dire approuver définitivement).
que vous n'ayez reçu : avant d'avoir reçu la dot.
1048 *si je vais faire éclater quelque chose :* si je provoque un éclat.
1053 *le douaire se règle au bien qu'on vous apporte :* les biens dont la femme a l'usufruit (les revenus) sont calculés en fonction de la dot qu'on verse pour elle.

LE NOTAIRE

1055 On peut avantager une femme, en ce cas.

ARNOLPHE, *sans le voir.*

Quel traitement lui faire en pareille aventure ?

LE NOTAIRE

L'ordre• est que le futur doit douer• la future
Du tiers du dot• qu'elle a ; mais cet ordre n'est rien,
Et l'on va plus avant lorsque l'on le veut bien.

ARNOLPHE, *sans le voir.*

1060 Si...

LE NOTAIRE *(Arnolphe l'apercevant.)*

Pour le préciput, il les regarde ensemble•.
Je dis que le futur peut, comme bon lui semble,
Douer la future.

ARNOLPHE

Eh !

LE NOTAIRE

Il peut l'avantager
Lorsqu'il l'aime beaucoup et qu'il veut l'obliger•,
Et cela par douaire, ou préfix•, qu'on appelle•,
1065 Qui demeure perdu par le trépas d'icelle•,

1057 *l'ordre :* la règle.
douer : assigner un douaire.
1058 *du dot :* le genre de ce mot n'était pas fixé au XVIIe siècle.
1060 *pour le préciput, il les regarde ensemble :* le bien, dont le contrat stipule qu'il sera réservé au survivant des deux époux avant partage (*le préciput*) est fixé d'un commun accord entre les époux (*il les regarde ensemble*).
1063 *l'obliger :* lui faire plaisir.
1064 *préfix :* douaire dont le montant précis (et non plus la proposition — cf. vv. 1057-1058) est stipulé par le contrat.
qu'on appelle : ainsi qu'on l'appelle.
1065 *qui demeure perdu par le trépas d'icelle :* cela veut dire que le douaire *préfix* revient au mari quand celle-ci (*icelle*) meurt.

Ou sans retour, qui va de ladite à ses hoirs•,
Ou coutumier•, selon les différents vouloirs ;
Ou par donation dans le contrat formelle•,
Qu'on fait ou pure et simple, ou qu'on fait mutuelle•.
1070 Pourquoi hausser le dos• ? Est-ce qu'on parle en fat,
Et que l'on ne sait pas les formes d'un contrat ?
Qui me les apprendra ? Personne, je présume.
Sais-je pas qu'étant joints• on est par la coutume•
Communs en meubles, biens, immeubles et conquêts•,
1075 A moins que par un acte on y renonce exprès• ?
Sais-je pas que le tiers du bien de la future
Entre en communauté, pour...

ARNOLPHE

Oui, c'est chose sûre,
Vous savez tout cela ; mais qui vous en dit mot ?

LE NOTAIRE

Vous, qui me prétendez faire passer pour sot,
1080 En me haussant l'épaule et faisant la grimace.

1066 *ou sans retour, qui va de ladite à ses hoirs :* ou bien, au contraire, qui, sans revenir au mari (*sans retour*) passe aux héritiers (*hoirs*) de la femme (*ladite*).

1067 *ou coutumier :* douaire coutumier, c'est-à-dire déterminé par la coutume à défaut de convention précise.

1068 *formelle :* s'accorde avec *donation.*

1069 *qu'on fait ou pure et simple, ou qu'on fait mutuelle :* la donation qu'on fait figurer dans le contrat (*formelle*) peut n'être stipulée qu'en faveur d'un seul des deux époux, soit le mari soit la femme (*pure et simple*) ; elle peut être, au contraire, stipulée au profit de celui qui survivra (*mutuelle*).

1063-1069 pour *obliger* une femme, un époux peut donc lui attribuer un douaire *préfix* (*perdu* ou *sans retour*) ou un douaire coutumier. Il peut encore constituer une donation (*pure et simple* ou *mutuelle*).

1070 *le dos :* les épaules.

1073 *étant joints :* lorsqu'on est marié.
par la coutume : en vertu du droit coutumier.

1074 *conquêts :* désigne les biens que les époux acquièrent durant le mariage et qui tombent dans la communauté (par opposition aux « biens propres »).

1075 *exprès :* expressément.

ARNOLPHE

La peste soit fait l'homme•, et sa chienne de face !
Adieu : c'est le moyen de vous faire finir.

LE NOTAIRE

Pour dresser un contrat m'a-t-on pas fait venir ?

ARNOLPHE

Oui, je vous ai mandé• ; mais la chose est remise,
1085 Et l'on vous mandera quand l'heure sera prise•.
Voyez quel diable d'homme avec son entretien !

LE NOTAIRE

Je pense qu'il en tient•, et je crois penser bien.

SCÈNE III : LE NOTAIRE, ALAIN, GEORGETTE, ARNOLPHE

LE NOTAIRE

M'êtes-vous pas venu quérir• pour votre maître ?

ALAIN

Oui.

LE NOTAIRE

J'ignore pour qui vous le pouvez connaître•,
1090 Mais allez de ma part lui dire de ce pas
Que c'est un fou fieffé•.

GEORGETTE

Nous n'y manquerons pas.

1081 *la peste soit fait l'homme :* on disait plus couramment : « la peste soit de l'homme ».
1084 *mandé :* envoyé chercher.
1085 *quand l'heure sera prise :* quand le moment en sera décidé.
1087 *il en tient :* il est fou (ou : il a bu).
1088 *quérir :* chercher.
1089 *pour qui vous le pouvez connaître :* comment vous le considérez.
1091 *fieffé :* au plus haut degré.

SCÈNE IV : ALAIN, GEORGETTE, ARNOLPHE

ALAIN

Monsieur...

ARNOLPHE

Approchez-vous ; vous êtes mes fidèles,
Mes bons, mes vrais amis, et j'en sais des nouvelles•.

ALAIN

Le notaire...

ARNOLPHE

Laissons, c'est pour quelqu'autre jour.
1095 On veut à mon honneur jouer d'un mauvais tour• ;
Et quel affront pour vous, mes enfants, pourrait-ce être,
Si l'on avait ôté l'honneur à votre maître !
Vous n'oseriez après paraître en nul endroit,
Et chacun, vous voyant, vous montrerait au doigt•.
1100 Donc, puisqu'autant que moi l'affaire vous regarde,
Il faut de votre part faire une telle garde
Que ce galant ne puisse en aucune façon...

GEORGETTE

Vous nous avez tantôt montré notre leçon.

ARNOLPHE

Mais à ses beaux discours gardez bien de vous rendre.

ALAIN

1105 Oh ! vraiment...

GEORGETTE

Nous savons comme il faut s'en défendre.

ARNOLPHE, *à Alain.*

S'il venait doucement : « Alain, mon pauvre cœur,
Par un peu de secours soulage ma langueur. »

1093 *et j'en sais des nouvelles :* et j'en ai eu des assurances.
1095 *jouer d'un mauvais tour :* tromper (aujourd'hui, « jouer un tour »).
1099 *au doigt :* du doigt.

ALAIN

« Vous êtes un sot. »

ARNOLPHE, *à Georgette.*

Bon ! « Georgette, ma mignonne,
Tu me parais si douce et si bonne personne. »

GEORGETTE

1110 « Vous êtes un nigaud. »

ARNOLPHE, *à Alain.*

Bon ! « Quel mal trouves-tu
Dans un dessein honnête et tout plein de vertu ? »

ALAIN

« Vous êtes un fripon. »

ARNOLPHE, *à Georgette.*

Fort bien. « Ma mort est sûre
Si tu ne prends pitié des peines que j'endure. »

GEORGETTE

« Vous êtes un benêt•, un impudent. »

ARNOLPHE

Fort bien.
1115 « Je ne suis pas un homme à vouloir rien pour rien,
Je sais quand on me sert en garder la mémoire :
Cependant par avance, Alain, voilà pour boire,
Et voilà pour t'avoir•, Georgette, un cotillon•.
(Ils tendent tous deux la main, et prennent l'argent.)
Ce n'est de mes bienfaits qu'un simple échantillon.
1120 Toute la courtoisie, enfin, dont je vous presse•,
C'est que je puisse voir votre belle maîtresse. »

GEORGETTE, *le poussant.*

« A d'autres ! »

1114 *un benêt :* un niais, un sot.
1118 *pour t'avoir :* pour t'acheter.
un cotillon : un jupon.
1120 *la courtoisie... dont je vous presse :* le service que je vous demande (avec insistance).

ARNOLPHE

Bon, cela !

ALAIN, *le poussant.*

« Hors d'ici ! »

ARNOLPHE

Bon !

GEORGETTE, *le poussant*

« Mais tôt• ! »

ARNOLPHE

Bon ! Holà ! c'est assez.

GEORGETTE

Fais-je pas comme il faut ?

ALAIN

Est-ce de la façon que vous voulez l'entendre ?

ARNOLPHE

1125 Oui, fort bien, hors l'argent, qu'il ne fallait pas prendre.

GEORGETTE

Nous ne nous sommes pas souvenus de ce point.

ALAIN

Voulez-vous qu'à l'instant nous recommencions ?

ARNOLPHE

Point.

Suffit, rentrez tous deux.

ALAIN

Vous n'avez rien qu'à dire•.

ARNOLPHE

Non, vous dis-je, rentrez, puisque je le désire.
1130 Je vous laisse l'argent ; allez, je vous rejoins.
Ayez bien l'œil à tout, et secondez mes soins.

1122 *tôt :* sans tarder, tout de suite.
1128 *vous n'avez rien qu'à dire :* vous n'avez qu'à dire un mot.

SCÈNE V : ARNOLPHE

Je veux pour espion qui soit d'exacte vue•
Prendre le savetier du coin de notre rue.
Dans la maison toujours je prétends la tenir,
1135 Y faire bonne garde, et surtout en bannir
Vendeuses de ruban, perruquières, coiffeuses,
Faiseuses de mouchoirs, gantières, revendeuses,
Tous ces gens qui sous main• travaillent chaque jour
A faire réussir les mystères d'amour.
1140 Enfin j'ai vu le monde•, et j'en sais les finesses•.
Il faudra que mon homme ait de grandes adresses
Si message ou poulet• de sa part peut entrer.

SCÈNE VI : HORACE, ARNOLPHE

HORACE

La place m'est heureuse à vous y rencontrer•.
Je viens de l'échapper bien belle, je vous jure.
1145 Au sortir d'avec vous, sans prévoir l'aventure,
Seule dans son balcon•, j'ai vu paraître Agnès,
Qui des arbres prochains• prenait un peu le frais.
Après m'avoir fait signe, elle a su faire en sorte,
Descendant au jardin, de m'en ouvrir la porte ;
1150 Mais à peine tous deux dans sa chambre étions-nous
Qu'elle a sur les degrés• entendu son jaloux ;

1132 *qui soit d'exacte vue :* qui puisse regarder en permanence ce qui se passe (cf. v. 889 *exacte vigilance*).
1138 *sous main :* en cachette.
1140 *j'ai vu le monde :* j'ai vu les gens à qui j'ai affaire.
les finesses : les ruses.
1142 *poulet :* billet galant.
1143 *la place m'est heureuse à vous y rencontrer :* cet endroit me permet de vous voir souvent.
1146 *dans son balcon :* sur son balcon (construction fréquente au XVIIe siècle).
1147 *prochains :* tout proches.
1151 *sur les degrés :* dans l'escalier.

Et tout ce qu'elle a pu, dans un tel accessoire•,
C'est de me renfermer dans une grande armoire.
Il est entré : d'abord je ne le voyais pas,
1155 Mais je l'oyais• marcher, sans rien dire, à grands pas,
Poussant de temps en temps des soupirs pitoyables,
Et donnant quelquefois de grands coups sur les tables ;
Frappant un petit chien qui pour lui s'émouvait•,
Et jetant brusquement les hardes• qu'il trouvait ;
1160 Il a même cassé, d'une main mutinée•,
Des vases dont la belle ornait sa cheminée.
Et sans doute il faut bien qu'à ce becque cornu•
Du trait qu'elle a joué quelque jour soit venu•.
Enfin, après cent tours•, ayant de la manière
1165 Sur ce qui n'en peut mais• déchargé sa colère,
Mon jaloux, inquiet•, sans dire son ennui,
Est sorti de la chambre, et moi de mon étui ;
Nous n'avons point voulu, de peur du personnage,
Risquer à nous tenir ensemble• davantage :
1170 C'était trop hasarder•, mais je dois, cette nuit,
Dans sa chambre un peu tard m'introduire sans bruit :
En toussant par trois fois je me ferai connaître,
Et je dois au signal voir ouvrir la fenêtre,
Dont, avec une échelle, et secondé d'Agnès,
1175 Mon amour tâchera de me gagner l'accès.

1152 *dans un tel accessoire :* dans une circonstance fâcheuse comme celle-là.
1155 *je l'oyais :* je l'entendais.
1158 *qui pour lui s'émouvait :* qui lui manifestait sa joie.
1159 *les hardes :* les vêtements (sans valeur dépréciative).
1160 *d'une main mutinée :* d'une main furieuse.
1162 *becque cornu :* bouc cornu (imbécile et cocu : transposition de l'italien : « becco cornuto »).
1163 *du trait qu'elle a joué quelque jour soit venu:* que quelque lumière lui ait été donnée sur le tour qu'elle lui a joué.
1164 *tours :* allées et venues.
1165 *ce qui n'en peut mais :* ce qui n'est pas responsable, qui n'y peut rien (*mais* vient du latin *magis*, davantage, plus).
1166 *inquiet :* agité (sens fort).
1169 *risquer à nous tenir ensemble :* courir des risques en restant ensemble.
1170 *hasarder :* risquer.

Comme à mon seul ami je veux bien vous l'apprendre.
L'allégresse du cœur s'augmente à la répandre,
Et, goûtât-on cent fois un bonheur trop parfait,
On n'en est pas content si quelqu'un ne le sait.
1180 Vous prendrez part, je pense, à l'heur• de mes affaires.
Adieu, je vais songer aux choses nécessaires.

SCÈNE VII : ARNOLPHE

Quoi ! l'astre qui s'obstine à me désespérer
Ne me donnera pas le temps de respirer !
Coup sur coup je verrai par leur intelligence•
1185 De mes soins vigilants confondre la prudence !
Et je serai la dupe, en ma maturité•,
D'une jeune innocente et d'un jeune éventé !
En sage philosophe on m'a vu vingt années
Contempler des maris les tristes destinées,
1190 Et m'instruire avec soin de tous les accidents
Qui font dans le malheur tomber les plus prudents ;
Des disgrâces• d'autrui profitant dans mon âme,
J'ai cherché les moyens, voulant prendre une femme,
De pouvoir garantir mon front de tous affronts,
1195 Et le tirer de pair• d'avec les autres fronts :
Pour ce noble dessein j'ai cru mettre en pratique
Tout ce que peut trouver l'humaine politique• ;
Et, comme si du sort il était arrêté•
Que nul homme ici-bas n'en• serait exempté,
1200 Après l'expérience et toutes les lumières•

1180 *l'heur* : la réussite.
1184 *intelligence* : complicité.
1186 *en ma maturité* : alors que je suis d'un âge mûr.
1192 *disgrâces* : malheurs.
1195 *le tirer de pair* : le distinguer, le singulariser.
1197 *politique* : sagesse.
1198 *comme si du sort il était arrêté* : comme s'il était une décision (un arrêt) du sort.
1199 *en* : des affronts.
1200 *les lumières* : les réflexions, les éclaircissements.

Que j'ai pu m'acquérir sur de telles matières,
Après vingt ans et plus de méditation
Pour me conduire en tout avec précaution,
De tant d'autres maris j'aurais quitté la trace,
1205 Pour me trouver après dans la même disgrâce !
Ah ! bourreau de destin, vous en aurez menti• !
De l'objet• qu'on poursuit je suis encor nanti.
Si son cœur m'est volé par ce blondin funeste,
J'empêcherai du moins qu'on s'empare du reste,
1210 Et cette nuit qu'on prend pour ce galant exploit•
Ne se passera pas si doucement qu'on croit.
Ce m'est quelque plaisir, parmi• tant de tristesse,
Que l'on me donne avis• du piège qu'on me dresse,
Et que cet étourdi, qui veut m'être fatal,
1215 Fasse son confident de son propre rival.

SCÈNE VIII : CHRYSALDE, ARNOLPHE

CHRYSALDE

Eh bien, souperons-nous avant la promenade ?

ARNOLPHE

Non, je jeûne ce soir.

CHRYSALDE

D'où vient cette boutade ?

ARNOLPHE

De grâce, excusez-moi, j'ai quelqu'autre embarras.

1206 *vous en aurez menti :* je vous (le destin) ferai mentir, il n'est pas dit que je subirai cet affront.
1207 *l'objet :* la femme aimée.
1210 *qu'on prend pour ce galant exploit :* qu'on a choisie pour réaliser cet exploit amoureux.
1212 *parmi :* au milieu de (emploi qui serait incorrect en français moderne).
1213 *que l'on me donne avis :* que l'on me prévienne.

CHRYSALDE

Votre hymen résolu• ne se fera-t-il pas ?

ARNOLPHE

1220 C'est trop s'inquiéter des affaires des autres.

CHRYSALDE

Oh ! oh ! si brusquement ! Quels chagrins sont les vôtres ?
Serait-il point, compère•, à votre passion
Arrivé quelque peu de tribulation• ?
Je le jurerais presque à voir votre visage.

ARNOLPHE

1225 Quoi qu'il m'arrive, au moins aurai-je l'avantage
De ne pas ressembler à de certaines gens
Qui souffrent doucement• l'approche des galans.

CHRYSALDE

C'est un étrange fait qu'avec tant de lumières
Vous vous effarouchiez• toujours sur ces matières ;
1230 Qu'en cela vous mettiez le souverain bonheur,
Et ne conceviez point au monde d'autre honneur.
Être avare, brutal, fourbe, méchant et lâche,
N'est rien, à votre avis, auprès de cette tache•,
Et, de quelque façon qu'on puisse avoir vécu,
1235 On est homme d'honneur quand on n'est point cocu !
A le bien prendre, au fond, pourquoi voulez-vous croire
Que de ce cas fortuit dépende notre gloire,
Et qu'une âme bien née ait à se reprocher
L'injustice d'un mal qu'on ne peut empêcher ?
1240 Pourquoi voulez-vous, dis-je, en prenant une femme,
Qu'on soit digne à son choix• de louange ou de blâme,

1219 *votre hymen résolu :* le mariage que vous avez décidé.
1222 *compère :* terme d'amitié (extension de la qualification réciproque du père et du parrain d'un enfant).
1223 *tribulation :* affliction, adversité.
1227 *doucement :* sans faire d'éclat.
1229 *vous vous effarouchiez :* vous deveniez inquiet, méfiant.
1233 *tache :* la rime avec *lâche* (*a* long) est une licence poétique.
1241 *à son choix :* selon le choix qu'elle aura fait.

Et qu'on s'aille former un monstre plein d'effroi
De l'affront que nous fait son manquement de foi ?
Mettez-vous dans l'esprit qu'on peut du cocuage
1245 Se faire en galant homme une plus douce image,
Que, des coups du hasard aucun n'étant garant•,
Cet accident de soi• doit être indifférent,
Et qu'enfin tout le mal, quoi que le monde glose•,
N'est que dans la façon de recevoir la chose ;
1250 Car, pour se bien conduire en ces difficultés,
Il y faut comme en tout fuir les extrémités•.
N'imitez pas ces gens un peu trop débonnaires
Qui tirent vanité de ces sortes d'affaires,
De leurs femmes toujours vont citant les galants,
1255 En font partout l'éloge et prônent• leurs talents,
Témoignent avec eux d'étroites sympathies,
Sont de tous leurs cadeaux•, de toutes leurs parties•
Et font qu'avec raison les gens sont étonnés•
De voir leur hardiesse à montrer là leur nez.
1260 Ce procédé• sans doute est tout à fait blâmable ;
Mais l'autre extrémité n'est pas moins condamnable.
Si je n'approuve pas ces amis des galants,
Je ne suis pas aussi pour ces gens turbulents•
Dont l'imprudent• chagrin, qui tempête et qui gronde,
1265 Attire au bruit• qu'il fait les yeux de tout le monde,
Et qui par cet éclat semblent ne pas vouloir
Qu'aucun• puisse ignorer ce qu'ils peuvent avoir.
Entre ces deux partis il en est un honnête

1246 *aucun n'étant garant :* personne ne pouvant garantir qu'il ne les subira pas.
1247 *de soi :* en lui-même.
1248 *quoi que le monde glose :* quoi que les gens puissent dire.
1251 *les extrémités :* les attitudes excessives.
1255 *prônent :* vantent.
1257 *cadeaux :* repas donnés en l'honneur d'une femme.
parties : divertissements.
1258 *étonnés :* stupéfaits.
1260 *ce procédé :* cette façon de se conduire.
1263 *turbulents :* qui provoquent du trouble, du désordre.
1264 *imprudent :* maladroit.
1265 *au bruit :* par le bruit.
1267 *aucun :* quelqu'un (sans valeur négative).

Où, dans l'occasion•, l'homme prudent s'arrête,
1270 Et, quand on le sait prendre, on n'a point à rougir
Du pis• dont une femme avec nous puisse agir.
Quoi qu'on en puisse dire, enfin, le cocuage
Sous des traits moins affreux aisément s'envisage ;
Et, comme je vous dis, toute l'habileté
1275 Ne va qu'à• le savoir tourner du bon côté.

ARNOLPHE

Après ce beau discours, toute la confrérie•
Doit un remerciement à Votre Seigneurie ;
Et quiconque voudra vous entendre parler
Montrera de la joie à s'y voir enrôler.

CHRYSALDE

1280 Je ne dis pas cela, car c'est ce que je blâme ;
Mais, comme c'est le sort qui nous donne une femme,
Je dis que l'on doit faire ainsi qu'au jeu de dés,
Où, s'il ne vous vient pas ce que vous demandez,
Il faut jouer d'adresse, et, d'une âme réduite•,
1285 Corriger le hasard par la bonne conduite.

ARNOLPHE

C'est-à-dire dormir et manger toujours bien,
Et se persuader que tout cela n'est rien.

CHRYSALDE

Vous pensez vous moquer ; mais, à ne vous rien feindre,
Dans le monde je vois cent choses plus à craindre,
1290 Et dont je me ferais un bien plus grand malheur
Que de cet accident qui vous fait tant de peur.
Pensez-vous qu'à choisir de deux choses prescrites,
Je n'aimasse pas mieux être ce que vous dites
Que de me voir mari de ces femmes de bien
1295 Dont la mauvaise humeur fait un procès pour rien,
Ces dragons de vertu, ces honnêtes diablesses,

1269 *dans l'occasion :* quand cela se produit.
1271 *du pis :* de la façon la plus déplorable.
1275 *ne va qu'à :* consiste seulement à.
1276 *la confrérie :* la confrérie des cocus.
1284 *d'une âme réduite :* avec une âme résignée.

Se retranchant toujours sur leurs sages prouesses•,
Qui, pour• un petit tort qu'elles ne nous font pas,
Prennent droit de traiter les gens de haut en bas,
1300 Et veulent, sur le pied de nous être fidèles•,
Que nous soyons tenus à tout endurer d'elles ?
Encore un coup, compère, apprenez qu'en effet
Le cocuage n'est que ce que l'on le fait,
Qu'on peut le souhaiter pour de certaines causes,
1305 Et qu'il a ses plaisirs comme les autres choses.

ARNOLPHE

Si vous êtes d'humeur à vous en contenter•,
Quant à moi, ce n'est pas la mienne d'en tâter
Et, plutôt que subir une telle aventure...

CHRYSALDE

Mon Dieu ! ne jurez point, de peur d'être parjure.
1310 Si le sort l'a réglé, vos soins sont superflus,
Et l'on ne prendra pas votre avis là-dessus.

ARNOLPHE

Moi ! je serais cocu ?

CHRYSALDE

Vous voilà bien malade.
Mille gens le sont bien, sans vous faire bravade•,
Qui de mine, de cœur, de biens et de maison,
1315 Ne feraient avec vous nulle comparaison•.

1297 *leurs sages prouesses :* les marques éclatantes de leur sagesse.
1298 *pour :* en échange de.
1300 *sur le pied de nous être fidèles :* dans la mesure où elles nous sont fidèles.
1306 *à vous en contenter :* à y prendre plaisir, à en faire votre bonheur.
1313 *bravade :* injure.
1315 *ne feraient avec vous nulle comparaison :* n'accepteraient pas d'être comparés à vous (pour la mine, le cœur, les biens, la naissance).

ARNOLPHE

Et moi je n'en voudrais avec eux faire aucune.
Mais cette raillerie, en un mot, m'importune :
Brisons là•, s'il vous plaît.

CHRYSALDE

Vous êtes en courroux :
Nous en saurons la cause. Adieu ; souvenez-vous,
1320 Quoi que sur ce sujet votre honneur vous inspire,
Que c'est être à demi ce que l'on vient de dire
Que de vouloir jurer qu'on ne le sera pas.

ARNOLPHE

Moi, je le jure encore, et je vais de ce pas
Contre cet accident trouver un bon remède.

SCÈNE IX : ALAIN, GEORGETTE, ARNOLPHE

ARNOLPHE

1325 Mes amis, c'est ici que j'implore votre aide.
Je suis édifié de votre affection ;
Mais il faut qu'elle éclate en cette occasion ;
Et, si vous m'y servez selon ma confiance•,
Vous êtes assurés de votre récompense.
1330 L'homme que vous savez, n'en faites point de bruit•,
Veut, comme je l'ai su, m'attraper• cette nuit,
Dans la chambre d'Agnès entrer par escalade ;
Mais il lui faut, nous trois, dresser une embuscade,
Je veux que vous preniez chacun un bon bâton,
1335 Et, quand il sera près du dernier échelon
(Car dans le temps qu'il faut• j'ouvrirai la fenêtre),
Que tous deux à l'envi vous me chargiez ce traître,

1318 *brisons là :* expression familière pour couper court à une discussion.
1328 *selon ma confiance :* comme j'espèce que vous le ferez.
1330 *n'en faites point de bruit :* ne le répétez pas.
1331 *m'attraper :* me tromper.
1336 *dans le temps qu'il faut :* au moment voulu.

Mais d'un air• dont son dos garde le souvenir,
Et qui lui puisse apprendre à n'y plus revenir,
1340 Sans me nommer pourtant en aucune manière,
Ni faire aucun semblant• que je serai derrière.
Aurez-vous bien l'esprit de• servir mon courroux ?

ALAIN

S'il ne tient qu'à frapper, monsieur, tout est à nous.
Vous verrez, quand je bats, si j'y vais de main morte.

GEORGETTE

1345 La mienne, quoique aux yeux elle n'est pas si forte•,
N'en quitte pas sa part• à le bien étriller.

ARNOLPHE

Rentrez donc, et surtout gardez de babiller•.
Voilà pour le prochain une leçon utile,
Et, si tous les maris qui sont en cette ville
1350 De leurs femmes ainsi recevaient le galand,
Le nombre des cocus ne serait pas si grand.

1338 *d'un air :* d'une façon.
1341 *faire aucun semblant :* laisser voir.
1342 *aurez-vous bien l'esprit de :* mettrez-vous tous vos soins à.
1345 *n'est pas si forte :* ne soit pas si forte. Georgette parle une langue incorrecte.
1346 *n'en quitte pas sa part :* prend bien sa part malgré tout.
1347 *gardez de babiller :* n'allez pas faire des commérages.

LE DOUBLE VISAGE D'ARNOLPHE

• **Pendant cet acte, Arnolphe s'est montré parfaitement ridicule :**

— *avec le notaire* qu'il n'a pas vu et qui répond à chacune des questions qu'il se fait à lui-même,

— *avec ses domestiques* qui l'ont malmené en lui montrant comment ils comptent accueillir Horace,

— *avec Horace* dont il a été contraint d'écouter le long récit dans lequel il raconte comment il a entendu la scène entre Agnès et son jaloux,

— *avec Chrysalde* enfin qui l'a trouvé moins sûr de lui qu'au premier acte et qui l'a invité à supporter stoïquement une éventuelle disgrâce.

• **Mais il s'est révélé aussi menaçant :**

— dès la première scène, il a annoncé *son intention de se venger*,

il a décidé de *faire surveiller Agnès de plus près* en payant un espion ;

— les conseils de modération de Chrysalde n'ont fait qu'augmenter sa colère et *il tend un piège à Horace* pour la nuit qui vient.

Mais si une partie des précautions qu'il prend sont rendues vaines par la complicité des deux jeunes gens, le spectateur a des raisons d'être inquiet parce que, *cette fois, le piège est bien tendu.*

ACTE V

SCÈNE PREMIÈRE : ALAIN, GEORGETTE, ARNOLPHE

ARNOLPHE

Traîtres, qu'avez-vous fait par cette violence ?

ALAIN

Nous vous avons rendu, Monsieur, obéissance.

ARNOLPHE

De cette excuse en vain vous voulez vous armer.
1355 L'ordre était de le battre, et non de l'assommer•,
Et c'était sur le dos, et non pas sur la tête,
Que j'avais commandé qu'on fît choir la tempête•.
Ciel ! dans quel accident• me jette ici le sort !
Et que puis-je résoudre• à voir cet homme mort ?
1360 Rentrez dans la maison, et gardez de rien dire
De cet ordre innocent• que j'ai pu vous prescrire :
Le jour s'en va paraître, et je vais consulter•
Comment dans ce malheur je me dois comporter.
Hélas ! que deviendrai-je ? et que dira le père
1365 Lorsqu'inopinément• il saura cette affaire ?

SCÈNE II : HORACE, ARNOLPHE

HORACE

Il faut que j'aille un peu reconnaître qui c'est.

ARNOLPHE

Eût-on jamais prévu... ? Qui va là, s'il vous plaît ?

1355 *assommer :* tuer à force de coups.
1357 *la tempête :* la pluie de coups.
1358 *dans quel accident :* dans quelle fâcheuse aventure.
1359 *que puis-je résoudre :* que puis-je faire.
1361 *de cet ordre innocent :* l'ordre (que je vous ai donné mais) qui n'est pas responsable de la mort d'Horace.
1362 *consulter :* réfléchir.
1365 *inopinément :* alors qu'il ne s'y attend pas.

HORACE

C'est vous, Seigneur Arnolphe ?

ARNOLPHE

Oui ; mais vous...

HORACE

C'est Horace.

Je m'en allais chez vous vous prier d'une grâce•.

1370 Vous sortez bien matin• ?

ARNOLPHE, *bas.*

Quelle confusion• !

Est-ce un enchantement• ? est-ce une illusion• ?

HORACE

J'étais, à dire vrai, dans une grande peine,
Et je bénis du ciel la bonté souveraine
Qui fait qu'à point nommé je vous rencontre ainsi.

1375 Je viens vous avertir que tout a réussi,
Et même beaucoup plus que je n'eusse osé dire,
Et par un incident qui devait tout détruire.
Je ne sais point par où l'on a pu soupçonner
Cette assignation• qu'on m'avait su donner ;

1380 Mais, étant sur le point d'atteindre à la fenêtre,
J'ai, contre mon espoir•, vu quelques gens• paraître,
Qui, sur moi brusquement levant chacun le bras,
M'ont fait manquer le pied et tomber jusqu'en bas ;
Et ma chute, aux dépens de• quelque meurtrissure

1385 De vingt coups de bâton m'a sauvé l'aventure•

1369 *vous prier d'une grâce* : vous demander un service.
1370 *matin* : tôt (adverbe).
confusion : situation embrouillée.
1371 *un enchantement* : un charme magique.
une illusion : une vision.
1379 *cette assignation* : ce rendez-vous (vocabulaire juridique).
1381 *contre mon espoir* : contrairement à ce que j'attendais.
gens : domestiques.
1384 *aux dépens de* : qui m'a valu.
1385 *de vingt coups de bâton m'a sauvé l'aventure* : m'a évité de recevoir un grand nombre de coups.

Ces gens-là, dont était•, je pense, mon jaloux,
Ont imputé ma chute à l'effort de leurs coups ;
Et, comme la douleur un assez long espace•
M'a fait sans remuer demeurer sur la place,
1390 Ils ont cru tout de bon qu'ils m'avaient assommé,
Et chacun d'eux s'en est aussitôt alarmé.
J'entendais tout leur bruit dans le profond silence :
L'un l'autre ils s'accusaient de cette violence,
Et sans lumière aucune, en querellant le sort•,
1395 Sont venus doucement tâter si j'étais mort.
Je vous laisse à penser si, dans la nuit obscure,
J'ai d'un vrai trépassé su tenir la figure•.
Ils se sont retirés avec beaucoup d'effroi ;
Et, comme je songeais à me retirer, moi,
1400 De• cette feinte mort la jeune Agnès émue
Avec empressement est devers moi• venue :
Car les discours qu'entre eux ces gens avaient tenus
Jusques à son oreille étaient d'abord• venus,
Et, pendant tout ce trouble étant moins observée•,
1405 Du logis aisément elle s'était sauvée.
Mais, me trouvant sans mal, elle a fait éclater
Un transport• difficile à bien représenter.
Que vous dirai-je ? enfin, cette aimable personne
A suivi les conseils que son amour lui donne,
1410 N'a plus voulu songer à retourner chez soi,
Et de tout son destin s'est commise à ma foi•.
Considérez un peu, par ce trait d'innocence,
Où• l'expose d'un fou la haute impertinence,
Et quels fâcheux périls elle pourrait courir

1386 *dont était :* avec lesquels était.
1388 *un assez long espace :* pendant un assez long moment.
1394 *en querellant le sort :* en accusant le sort.
1397 *la figure* : l'attitude.
1400 *de :* par.
1401 *devers moi :* dans ma direction.
1403 *d'abord :* tout de suite.
1404 *observée :* surveillée.
1407 *un transport :* une joie.
1411 *et de tout son destin s'est commise à ma foi :* m'a remis sa vie et sa personne à moi en qui elle a confiance.
1413 *où :* à quoi.

1415 Si j'étais maintenant homme à la moins chérir.
Mais d'un trop pur amour mon âme est embrasée ;
J'aimerais mieux mourir que l'avoir abusée•,
Je lui vois des appas dignes d'un autre sort,
Et rien ne m'en saurait séparer que la mort.
1420 Je prévois là-dessus l'emportement d'un père,
Mais nous prendrons le temps d'apaiser sa colère.
A• des charmes si doux je me laisse emporter,
Et dans la vie, enfin, il se faut contenter•.
Ce que je veux de vous, sous un secret fidèle,
1425 C'est que je puisse mettre en vos mains cette belle,
Que dans votre maison, en faveur de mes feux•,
Vous lui donniez retraite• au moins un jour ou deux.
Outre qu'aux yeux du monde il faut cacher sa fuite,
Et qu'on en pourra faire une exacte poursuite•,
1430 Vous savez qu'une fille aussi de sa façon•
Donne avec un jeune homme un étrange soupçon• ;
Et, comme c'est à vous, sûr de votre prudence•,
Que j'ai fait de mes feux entière confidence,
C'est à vous seul aussi, comme ami généreux•,
1435 Que je puis confier ce dépôt• amoureux.

ARNOLPHE

Je suis, n'en doutez point, tout à votre service.

HORACE

Vous voulez bien me rendre un si charmant office• ?

1417 *abusée* : trompée.
1422 *à* : par.
1423 *il se faut contenter* : il faut faire son bonheur.
1426 *en faveur de mes feux* : en considérant l'amour que j'éprouve.
1427 *retraite* : asile.
1429 *une exacte poursuite* : une poursuite sans relâche.
1430 *de sa façon* : jeune et belle comme elle est.
1431 *un étrange soupçon* : un soupçon scandaleux.
1432 *votre prudence* : votre sage vigilance.
1434 *comme ami généreux* : parce que vous êtes un ami généreux.
1435 *dépôt* : terme juridique : ce qu'on confie à quelqu'un.
1437 *un si charmant office* : un service qui me fait tant plaisir (*charmant* a encore au XVIIe siècle un sens très fort).

ARNOLPHE

Très volontiers, vous dis-je, et je me sens ravir•
De cette occasion que j'ai de vous servir•,
1440 Je rends grâces au Ciel de ce qu'il me l'envoie,
Et n'ai jamais rien fait avec si grande joie.

HORACE

Que je suis redevable à toutes vos bontés !
J'avais de votre part craint des difficultés•,
Mais vous êtes du monde•, et, dans votre sagesse,
1445 Vous savez excuser le feu de la jeunesse.
Un de mes gens la garde au coin de ce détour•.

ARNOLPHE

Mais comment ferons-nous ? car il fait un peu jour.
Si je la prends ici, l'on me verra peut-être,
Et, s'il faut que chez moi vous veniez à paraître,
1450 Des valets causeront. Pour jouer au plus sûr•,
Il faut me l'amener dans un lieu plus obscur :
Mon allée est commode, et je l'y vais attendre.

HORACE

Ce sont précautions qu'il est fort bon de prendre.
Pour moi, je ne ferai que vous la mettre en main,
1455 Et chez moi sans éclat• je retourne soudain.

ARNOLPHE, *seul.*

Ah ! fortune ! ce trait d'aventure propice•
Répare tous les maux que m'a faits ton caprice.
(Il s'enveloppe le nez de son manteau.)

1438 *et je me sens ravir :* et je me réjouis.
1439 *servir :* rendre service.
1443 *j'avais de votre part craint des difficultés :* j'avais craint que vous ne fissiez des difficultés.
1444 *vous êtes du monde :* vous appartenez à la bonne société.
1446 *au coin de ce détour :* à l'angle de cette rue.
1450 *au plus sûr :* avec le plus de sécurité.
1455 *sans éclat :* sans attirer l'attention.
1456 *ce trait d'aventure propice :* cette manifestation d'un hasard favorable.

SCÈNE III : AGNÈS, HORACE, ARNOLPHE

HORACE

Ne soyez point en peine où• je vais vous mener,
C'est un logement sûr que je vous fais donner ;
1460 Vous loger avec moi, ce serait tout détruire :
Entrez dans• cette porte, et laissez-vous conduire.
(Arnolphe lui prend la main sans qu'elle le reconnaisse.)

AGNÈS

Pourquoi me quittez-vous ?

HORACE

Chère Agnès, il le faut.

AGNÈS

Songez donc, je vous prie, à revenir bientôt.

HORACE

J'en suis assez pressé par ma flamme amoureuse.

AGNÈS

1465 Quand je ne vous vois point, je ne suis point joyeuse.

HORACE

Hors de votre présence on me voit triste aussi.

AGNÈS

Hélas ! s'il était vrai•, vous resteriez ici.

HORACE

Quoi ! vous pourriez douter de mon amour extrême ?

AGNÈS

Non, vous ne m'aimez pas autant que je vous aime.
(Arnolphe la tire.)
1470 Ah ! l'on me tire trop.

1458 *ne soyez point en peine où :* ne vous inquiétez pas de l'endroit où.
1461 *dans :* par.
1467 *s'il était vrai :* si cela était vrai (emploi impersonnel).

HORACE

C'est qu'il est dangereux,
Chère Agnès, qu'en ce lieu nous soyons vus tous deux,
Et le parfait ami de qui la main vous presse
Suit le zèle prudent qui pour nous l'intéresse•.

AGNÈS

Mais suivre un inconnu que...

HORACE

N'appréhendez rien :
1475 Entre de telles mains vous ne serez que bien.

AGNÈS

Je me trouverais mieux entre celles d'Horace,
Et j'aurais...
(A Arnolphe qui la tire encore.)
Attendez.

HORACE

Adieu, le jour me chasse.

AGNÈS

Quand vous verrai-je donc ?

HORACE

Bientôt assurément.

AGNÈS

Que je vais m'ennuyer• jusques à ce moment !

HORACE

1480 Grâce au Ciel, mon bonheur n'est plus en concurrence•,
Et je puis maintenant dormir en assurance•.

1473 *qui pour nous l'intéresse :* qui le fait s'intéresser à nous.
1479 *m'ennuyer :* me tourmenter (sens fort).
1480 *n'est plus en concurrence :* n'est plus incertain, est sûr.
1481 *en assurance :* en toute tranquillité.

SCÈNE IV : ARNOLPHE, AGNÈS

ARNOLPHE, *le nez dans son manteau.*

Venez, ce n'est pas là que je vous logerai,
Et votre gîte ailleurs est par moi préparé,
Je prétends en lieu sûr mettre votre personne.
1485 Me connaissez-vous ?

AGNÈS, *le reconnaissant.*

Hay !

ARNOLPHE

Mon visage, friponne,
Dans cette occasion rend vos sens effrayés•,
Et c'est à contrecœur qu'ici vous me voyez :
Je trouble en ses projets l'amour qui vous possède.
(Agnès regarde si elle ne verra point Horace.)
N'appelez point des yeux le galant à votre aide,
1490 Il est trop éloigné pour vous donner secours.
Ah ! ah ! si jeune encor, vous jouez de ces tours !
Votre simplicité, qui semble sans pareille,
Demande si l'on fait les enfants par l'oreille,
Et vous savez donner des rendez-vous la nuit,
Et pour suivre un galant vous évader sans bruit.
Tudieu ! comme avec lui votre langue cajole• !
Il faut qu'on vous ait mise à quelque bonne école.
Qui diantre tout d'un coup vous en a tant appris ?
Vous ne craignez donc plus de trouver des esprits• ?
1500 Et ce galant la nuit vous a donc enhardie ?
Ah ! coquine, en venir à cette perfidie !
Malgré tous mes bienfaits former un tel dessein !
Petit serpent que j'ai réchauffé dans mon sein,
Et qui, dès qu'il se sent•, par une humeur ingrate•,
1505 Cherche à faire du mal à celui qui le flatte• !

1486 *rend vos sens effrayés :* vous effraie.
1496 *cajole :* bavarde, jacasse.
1499 *des esprits :* des fantômes.
1504 *dès qu'il se sent :* dès qu'il a retrouvé ses sens.
par une humeur ingrate : dans un mouvement naturel d'ingratitude.
1505 *flatte :* caresse.

AGNÈS

Pourquoi me criez-vous• ?

ARNOLPHE

J'ai grand tort, en effet.

AGNÈS

Je n'entends point de mal• dans tout ce que j'ai fait.

ARNOLPHE

Suivre un galant n'est pas une action infâme ?

AGNÈS

C'est un homme qui dit qu'il me veut pour sa femme :
1510 J'ai suivi vos leçons, et vous m'avez prêché
Qu'il se faut marier pour ôter le péché.

ARNOLPHE

Oui, mais, pour femme, moi, je prétendais vous prendre,
Et je vous l'avais fait, me semble•, assez entendre.

AGNÈS

Oui, mais, à vous parler franchement entre nous,
1515 Il est plus pour cela• selon mon goût que vous.
Chez vous le mariage est fâcheux et pénible,
Et vos discours en font une image terrible•,
Mais, las• ! il le fait, lui, si rempli de plaisirs
Que de se marier il donne des désirs.

ARNOLPHE

1520 Ah ! c'est que vous l'aimez, traîtresse.

AGNÈS

Oui, je l'aime.

1506 *pourquoi me criez-vous :* pourquoi me grondez-vous d'une voix si forte (emploi transitif de « crier »).
1507 *je n'entends point de mal :* je ne comprends pas où est le mal.
1513 *me semble :* il me semble.
1515 *pour cela :* pour le mariage.
1517 *terrible :* qui inspire de la terreur.
1518 *las :* hélas.

ARNOLPHE

Et vous avez le front• de le dire à moi-même !

AGNÈS

Et pourquoi, s'il est vrai•, ne le dirais-je pas ?

ARNOLPHE

Le deviez-vous aimer, impertinente• ?

AGNÈS

Hélas !

Est-ce que j'en puis mais• ? Lui seul en est la cause,

1525 Et je n'y songeais pas lorsque se fit la chose.

ARNOLPHE

Mais il fallait chasser cet amoureux désir.

AGNÈS

Le moyen de chasser ce qui fait du plaisir ?

ARNOLPHE

Et ne saviez-vous pas que c'était me déplaire ?

AGNÈS

Moi ? point du tout : quel mal cela vous peut-il faire ?

ARNOLPHE

1530 Il est vrai, j'ai sujet d'en être réjoui.

Vous ne m'aimez donc pas, à ce compte ?

AGNÈS

Vous ?

ARNOLPHE

Oui.

AGNÈS

Hélas ! non.

ARNOLPHE

Comment, non ?

1521 *le front :* l'audace.
1522 *s'il est vrai :* si cela est vrai (emploi impersonnel).
1523 *impertinente :* sotte.
1524 *est-ce que j'en puis mais :* est-ce que cela dépend de moi ?

AGNÈS

Voulez-vous que je mente ?

ARNOLPHE

Pourquoi ne m'aimer pas, Madame l'impudente ?

AGNÈS

Mon Dieu ! ce n'est pas moi que vous devez blâmer :
1535 Que ne vous êtes-vous comme lui fait aimer ?
Je ne vous en ai pas empêché, que je pense.

ARNOLPHE

Je m'y suis efforcé de toute ma puissance ;
Mais les soins que j'ai pris, je les ai perdus tous.

AGNÈS

Vraiment, il en sait donc là-dessus plus que vous,
1540 Car à se faire aimer il n'a point eu de peine.

ARNOLPHE

Voyez comme raisonne et répond la vilaine• !
Peste ! une précieuse en dirait-elle plus ?
Ah ! je l'ai mal connue, ou, ma foi, là-dessus
Une sotte en sait plus que le plus habile• homme.
1545 Puisqu'en raisonnement votre esprit se consomme•,
La belle raisonneuse, est-ce qu'un si long temps•
Je vous aurai pour lui nourrie• à mes dépens ?

AGNÈS

Non, il vous rendra tout jusques au dernier double•.

ARNOLPHE

Elle a de certains mots où• mon dépit redouble.
1550 Me rendra-t-il, coquine, avec tout son pouvoir,
Les obligations• que vous pouvez m'avoir ?

1541 *vilaine :* désagréable, méchante.
1544 *habile :* expert.
1545 *se consomme :* s'accomplit, atteint sa perfection.
1546 *un si long temps :* pendant si longtemps.
1547 *nourrie :* élevée.
1548 *jusques au dernier double :* on dirait aujourd'hui « jusqu'au dernier centime ».
1549 *où :* auxquels.
1551 *les obligations :* la reconnaissance.

AGNÈS

Je ne vous en ai pas de si grandes qu'on pense.

ARNOLPHE

N'est-ce rien que les soins d'élever votre enfance ?

AGNÈS

Vous avez là dedans• bien opéré vraiment,
1555 Et m'avez fait en tout instruire joliment !
Croit-on que je me flatte•, et qu'enfin dans ma tête
Je ne juge pas bien que je suis une bête ?
Moi-même j'en ai honte, et, dans l'âge où je suis•,
Je ne veux plus passer pour sotte, si je puis.

ARNOLPHE

1560 Vous fuyez l'ignorance, et voulez, quoi qu'il coûte,
Apprendre du blondin quelque chose ?

AGNÈS

Sans doute.
C'est de lui que je sais ce que je puis savoir,
Et beaucoup plus qu'à vous je pense lui devoir.

ARNOLPHE

Je ne sais qui• me tient qu'avec une gourmade•
1565 Ma main de ce discours ne venge la bravade•.
J'enrage quand je vois sa piquante• froideur,
Et quelques coups de poing satisferaient mon cœur.

AGNÈS

Hélas ! vous le pouvez, si cela peut vous plaire.

1554 *là dedans :* en ce domaine.
1556 *que je me flatte :* que je me fasse des illusions.
1558 *dans l'âge où je suis :* à l'âge qui est le mien.
1564 *qui :* ce qui (interrogatif neutre de l'ancienne langue).
gourmade : coup de poing sur la figure.
1565 *la bravade :* l'affront, le défi.
1566 *piquante :* irritante et vexante.

ARNOLPHE

Ce mot, et ce regard, désarme• ma colère,
1570 Et produit un retour de tendresse de cœur
Qui de son action m'efface la noirceur.
Chose étrange d'aimer, et que pour ces traîtresses
Les hommes soient sujets à de telles faiblesses !
Tout le monde connaît leur imperfection :
1575 Ce n'est qu'extravagance et qu'indiscrétion•.
Leur esprit est méchant, et leur âme fragile• ;
Il n'est rien de plus faible et de plus imbécile•.
Rien de plus infidèle ; et, malgré tout cela,
Dans le monde on fait tout pour ces animaux-là.
1580 Hé bien ! faisons la paix ; va, petite traîtresse,
Je te pardonne tout, et te rends ma tendresse.
Considère par là l'amour que j'ai pour toi,
Et, me voyant si bon, en revanche aime-moi.

AGNÈS

Du meilleur de mon cœur je voudrais vous complaire•.
1585 Que me coûterait-il, si je le pouvais faire ?

ARNOLPHE

Mon pauvre petit bec•, tu le peux, si tu veux.
(Il fait un soupir.)
Écoute seulement ce soupir amoureux ;
Vois ce regard mourant, contemple ma personne,
Et quitte ce morveux et l'amour qu'il te donne.
1590 C'est quelque sort qu'il faut qu'il ait jeté sur toi,
Et tu seras cent fois plus heureuse avec moi.
Ta forte passion est d'être brave et leste• :

1569 *désarme :* le verbe est au singulier parce qu'il s'accorde avec le sujet le plus rapproché (latinisme).
1575 *indiscrétion :* manque de jugement et de retenue.
1576 *fragile :* succombant facilement au péché.
1577 *imbécile :* faible (« le sexe faible » est une expression qui sert à désigner les femmes).
1584 *vous complaire :* être comme vous le souhaitez.
1586 *mon pauvre petit bec :* expression familière qui veut indiquer une tendresse un peu condescendante.
1592 *ta forte passion est d'être brave et leste :* ce que tu veux avant tout, c'est être bien vêtue (*brave*) et élégante (*leste*).

QUESTIONS en vue de l'explication de la scène 4 :

1 *Nous assistons à l'« explication définitive » entre Arnolphe et Agnès. Montrez que les tout premiers instants de cette scène constituent déjà une indication sur les deux personnages.*

Arnolphe :

2 *La première réaction d'Arnolphe est de manifester de la colère, sans même attendre une explication d'Agnès. Indiquez les sentiments que dissimule — ou que révèle — une telle explosion de colère.*

3 *Pourquoi Arnolphe cesse-t-il d'injurier Agnès (v. 1506) ? De quelle nature sont les reproches qu'il adresse à la jeune fille dans la deuxième partie de la scène (vv. 1506-1568) ?*

4 *Une fois encore c'est une brève intervention d'Agnès (v. 1568) qui amène Arnolphe à changer brusquement d'attitude et de ton.*
a) *De quels gestes pensez-vous qu'Arnolphe accompagne sa « déclaration » ?*
b) *Pourquoi commence-t-il (vv. 1569-1579) par des généralités sur l'amour ?*
c) *Se montre-t-il vraiment amoureux ?*

5 *Arnolphe cherche à reprendre Agnès et lui fait des concessions : lesquelles ? Pourquoi la jeune fille ne peut-elle pas en être émue ? Est-il lui-même un peu émouvant ?*
Montrez ce que son « éclat » à la fin de la scène a d'inattendu et d'un peu surprenant.

Agnès :

6 a) *Nous nous attendions à voir une Agnès différente de celle que nous connaissions. Qu'est-ce qui, dans son costume, dans son attitude, nous confirme, dès le début de la scène, que la jeune fille a évolué ?*
b) *Montrez que nous sommes, nous aussi, un peu surpris par la nature de ce changement.*

7 *Pour la première fois, elle tient tête à Arnolphe. Sur quel ton répond-elle à ses reproches ? D'où tire-t-elle cette assurance ?*

8 *Agnès a désobéi à Arnolphe, et elle le sait. Pensez-vous donc qu'elle n'est plus aussi pure qu'au début de la comédie ?*

9 *Pourquoi n'intervient-elle plus dans la dernière partie de la scène ?*

Tu le seras toujours, va, je te le proteste•.
Sans cesse nuit et jour je te caresserai,
1595 Je te bouchonnerai•, baiserai, mangerai.
Tout comme tu voudras tu pourras te conduire.
Je ne m'explique point, et cela c'est tout dire.
(A part.)
Jusqu'où la passion peut-elle faire aller ?
(Haut.)
Enfin, à mon amour rien ne peut s'égaler.
1600 Quelle preuve veux-tu que je t'en donne, ingrate ?
Me veux-tu voir pleurer ? veux-tu que je me batte ?
Veux-tu que je m'arrache un côté de cheveux ?
Veux-tu que je me tue ? Oui, dis si tu le veux.
Je suis tout prêt, cruelle, à te prouver ma flamme.

AGNÈS

1605 Tenez, tous vos discours ne me touchent point l'âme.
Horace avec deux mots en ferait plus que vous.

ARNOLPHE

Ah ! c'est trop me braver, trop pousser mon courroux.
Je suivrai mon dessein•, bête trop indocile,
Et vous dénicherez• à l'instant de la ville.
1610 Vous rebutez mes vœux•, et me mettez à bout,
Mais un cul de couvent• me vengera de tout.

1593 *je te le proteste :* je te le promets (langue juridique).
1595 *bouchonnerai :* cajoler, caresser.
1608 *je suivrai mon dessein :* je ferai ce que j'avais décidé.
1609 *vous dénicherez :* vous décamperez.
1610 *vous rebutez mes vœux :* vous repoussez mon amour.
1611 *un cul de couvent :* Arnolphe fabrique ce mot sur le modèle de l'expression « un cul de basse fosse » (cachot), pour indiquer un couvent bien gardé d'où on n'a guère de chances de pouvoir jamais s'échapper.

SCÈNE V : ALAIN, ARNOLPHE

ALAIN

Je ne sais ce que c'est, Monsieur, mais il me semble
Qu'Agnès et le corps mort s'en sont allés ensemble.

ARNOLPHE

La voici : dans ma chambre allez me la nicher•.
1615 Ce ne sera pas là qu'il la viendra chercher ;
Et puis c'est seulement pour une demi-heure.
Je vais, pour lui donner une sûre demeure,
Trouver une voiture ; enfermez-vous des mieux•,
Et surtout gardez-vous de la quitter des yeux.
1620 Peut-être que son âme, étant dépaysée•,
Pourra de cet amour être désabusée•.

SCÈNE VI : HORACE, ARNOLPHE

HORACE

Ah ! je viens vous trouver accablé de douleur.
Le Ciel, Seigneur Arnolphe, a conclu• mon malheur,
Et, par un trait fatal d'une injustice extrême,
1625 On me veut arracher de• la beauté que j'aime.
Pour arriver ici mon père a pris le frais• :
J'ai trouvé qu'il mettait pied à terre ici près,
Et la cause, en un mot, d'une telle venue,
Qui, comme je disais, ne m'était pas connue,

1614 *nicher* : cacher.
1618 *des mieux* : du mieux qu'il est possible (renforcement du superlatif par le pluriel).
1620 *dépaysée* : désorientée par le changement de résidence.
1621 *désabusée* : détrompée.
1623 *a conclu* : a décidé.
1625 *de* : à ; dans la langue classique, le sens des prépositions était beaucoup plus libre qu'aujourd'hui : c'est un héritage de l'ancien français.
1626 *a pris le frais* : a voyagé la nuit.

1630 C'est qu'il m'a marié sans m'en récrire rien•,
Et qu'il vient en ces lieux célébrer ce lien.
Jugez, en prenant part à mon inquiétude,
S'il pouvait m'arriver un contretemps plus rude.
Cet Enrique, dont hier je m'informais à• vous,
1635 Cause tout le malheur dont je ressens les coups :
Il vient avec mon père achever ma ruine,
Et c'est sa fille unique à qui l'on me destine.
J'ai dès leurs premiers mots pensé m'évanouir ;
Et d'abord, sans vouloir plus longtemps les ouïr•,
1640 Mon père ayant parlé de vous rendre visite,
L'esprit plein de frayeur, je l'ai devancé vite.
De grâce, gardez-vous de lui rien découvrir•
De mon engagement•, qui le pourrait aigrir,
Et tâchez, comme en vous il prend grande créance•,
1645 De le dissuader de cette autre alliance•.

ARNOLPHE

Oui-da•.

HORACE

Conseillez-lui de différer un peu•,
Et rendez en ami ce service à mon feu•.

ARNOLPHE

Je n'y manquerai pas.

1630 *sans m'en récrire rien :* sans m'écrire une seconde lettre pour m'en aviser.
1634 *à :* auprès de.
1639 *ouïr :* écouter.
1642 *découvrir :* révéler.
1643 *engagement :* liaison sentimentale.
1644 *comme en vous il prend grande créance :* comme il a grande confiance en vous.
1645 *alliance :* mariage.
1646 *oui-da :* oui assurément (*da* est une particule de renforcement).
différer un peu : de retarder un peu (le mariage qu'il projette).
1647 *mon feu :* mon amour.

HORACE

C'est en vous que j'espère.

ARNOLPHE

Fort bien.

HORACE

Et je vous tiens• mon véritable père.

1650 Dites-lui que mon âge... Ah ! je le vois venir.
Écoutez les raisons que je vous puis fournir.
(Ils demeurent en un coin du théâtre.)

SCÈNE VII : ENRIQUE, ORONTE, CHRYSALDE, HORACE, ARNOLPHE

ENRIQUE, *à Chrysalde.*

Aussitôt qu'à mes yeux je vous ai vu paraître,
Quand on ne m'eût rien dit, j'aurais su vous connaître•.
Je vous vois tous les traits de cette aimable sœur
1655 Dont l'hymen autrefois m'avait fait possesseur ;
Et je serais heureux si la Parque cruelle•
M'eût laissé ramener cette épouse fidèle,
Pour jouir avec moi des sensibles douceurs•
De revoir tous les siens après nos longs malheurs.
1660 Mais, puisque du destin la fatale puissance
Nous prive pour jamais de sa chère présence,
Tâchons de nous résoudre, et de nous contenter
Du seul fruit amoureux qu'il m'en est pu rester• :
Il vous touche de près, et sans votre suffrage•
1665 J'aurais tort de vouloir disposer de ce gage.
Le choix du fils d'Oronte est glorieux de soi.
Mais il faut que ce choix vous plaise comme à moi.

1649 *je vous tiens :* je vous considère comme.
1653 *vous connaître :* vous reconnaître.
1656 *la Parque cruelle :* c'est-à-dire la mort.
1658 *des sensibles douceurs :* des douceurs qui touchent les sens.
1663 *qu'il m'en est pu rester :* quand un verbe dont dépend un infinitif réfléchi est placé entre le pronom et cet infinitif, le verbe prenait l'auxiliaire des verbes réfléchis (« qu'il m'en ait pu rester » en langue moderne).
1664 *votre suffrage :* votre approbation.

CHRYSALDE

C'est de mon jugement avoir mauvaise estime,
Que douter si j'approuve un choix si légitime.

ARNOLPHE, *à Horace.*

1670 Oui, je vais vous servir de la bonne façon.

HORACE

Gardez encore un coup•...

ARNOLPHE

N'ayez aucun soupçon.

ORONTE, *à Arnolphe.*

Ah ! que cette embrassade est pleine de tendresse !

ARNOLPHE

Que je sens à vous voir une grande allégresse !

ORONTE

Je suis ici venu...

ARNOLPHE

Sans m'en faire récit,

1675 Je sais ce qui vous mène•.

ORONTE

On vous l'a déjà dit ?

ARNOLPHE

Oui.

ORONTE

Tant mieux.

ARNOLPHE

Votre fils à cet hymen résiste,
Et son cœur prévenu• n'y voit rien que de triste ;
Il m'a même prié de vous en détourner.
Et moi, tout le conseil que je vous puis donner,

1671 *encore un coup* : encore une fois.
1675 *vous mène* : vous amène.
1677 *prévenu* : fortement hostile.

1680 C'est de ne pas souffrir que ce nœud se diffère
Et de faire valoir l'autorité de père.
Il faut avec vigueur ranger• les jeunes gens,
Et nous faisons contre eux• à leur être indulgents.

HORACE

Ah ! traître !

CHRYSALDE

Si son cœur a quelque répugnance,
1685 Je tiens• qu'on ne doit pas lui faire violence.
Mon frère•, que je crois•, sera de mon avis.

ARNOLPHE

Quoi ! se laissera-t-il gouverner par son fils ?
Est-ce que vous voulez qu'un père ait la mollesse
De ne savoir pas faire obéir la jeunesse ?
1690 Il serait beau, vraiment, qu'on le vît aujourd'hui
Prendre loi• de qui doit la recevoir de lui.
Non, non, c'est mon intime•, et sa gloire est la mienne ;
Sa parole est donnée, il faut qu'il la maintienne.
Qu'il fasse voir ici de fermes sentiments,
1695 Et force• de son fils tous les attachements.

ORONTE

C'est parler comme il faut, et, dans cette alliance,
C'est moi qui vous réponds de son obéissance.

CHRYSALDE, *à Arnolphe.*

Je suis surpris, pour moi, du grand empressement
Que vous me faites voir pour cet engagement,
1700 Et ne puis deviner quel motif vous inspire...

1682 *ranger :* faire rentrer dans le rang.
1683 *nous faisons contre eux :* nous agissons contre leur intérêt.
1685 *je tiens :* je considère.
1686 *mon frère :* terme usuel pour s'adresser à un beau-frère.
que je crois : expression elliptique : à ce que je crois.
1691 *prendre loi :* recevoir des ordres.
1692 *c'est mon intime :* il s'agit d'Oronte.
1695 *force :* brise.

ARNOLPHE

Je sais ce que je fais, et dis ce qu'il faut dire.

ORONTE

Oui, oui, Seigneur Arnolphe, il est...

CHRYSALDE

Ce nom l'aigrit ;
C'est monsieur de la Souche, on vous l'a déjà dit.

ARNOLPHE

Il n'importe.

HORACE

Qu'entends-je ?

ARNOLPHE, *se retournant vers Horace.*

Oui, c'est là le mystère.
1705 Et vous pouvez juger ce que je devais faire.

HORACE

En quel trouble...

SCÈNE VIII : GEORGETTE, ENRIQUE, ORONTE, CHRYSALDE, HORACE, ARNOLPHE

GEORGETTE

Monsieur, si vous n'êtes auprès•,
Nous aurons de la peine à retenir Agnès :
Elle veut à tous coups s'échapper, et peut-être
Qu'elle se pourrait bien jeter par la fenêtre.

ARNOLPHE

1710 Faites-la-moi venir; aussi bien de ce pas
Prétends-je l'emmener.
(A Horace.)
Ne vous en fâchez pas :
Un bonheur continu rendrait l'homme superbe•,
Et chacun a son tour, comme dit le proverbe.

1706 *si vous n'êtes auprès :* si vous ne restez pas à ses côtés.
1712 *superbe :* orgueilleux.

HORACE

Quels maux peuvent, ô Ciel, égaler mes ennuis• ?
1715 Et s'est-on jamais vu dans l'abîme où je suis ?

ARNOLPHE, *à Oronte.*

Pressez vite le jour de la cérémonie ;
J'y prends part, et déjà moi-même je m'en prie•.

ORONTE

C'est bien notre dessein.

SCÈNE IX : AGNÈS, ALAIN, GEORGETTE, ORONTE, ENRIQUE, ARNOLPHE, HORACE, CHRYSALDE

ARNOLPHE

Venez, belle, venez,
Qu'on• ne saurait tenir, et qui vous mutinez.
1720 Voici votre galant, à qui pour récompense
Vous pouvez faire une humble et douce révérence.
Adieu, l'événement trompe un peu vos souhaits ;
Mais tous les amoureux ne sont pas satisfaits.

AGNÈS

Me laissez-vous, Horace, emmener de la sorte ?

HORACE

1725 Je ne sais où j'en suis, tant ma douleur est forte.

ARNOLPHE

Allons, causeuse, allons.

AGNÈS

Je veux rester ici.

1714 *mes ennuis :* mon chagrin profond (sens fort).
1717 *je m'en prie :* je m'y invite.
1719 *qu' :* le relatif est séparé de son antécédent (*belle*, v. 1718).

ORONTE

Dites-nous ce que c'est que ce mystère-ci.
Nous nous regardons tous sans le pouvoir comprendre.

ARNOLPHE

Avec plus de loisir je pourrai vous l'apprendre.
1730 Jusqu'au revoir.

ORONTE

Où donc prétendez-vous aller ?
Vous ne nous parlez point comme il nous faut parler.

ARNOLPHE

Je vous ai conseillé, malgré tout son murmure•,
D'achever l'hyménée•.

ORONTE

Oui, mais pour le conclure,
Si l'on vous a dit tout, ne vous a-t-on pas dit
1735 Que vous avez chez vous celle dont il s'agit,
La fille qu'autrefois de l'aimable Angélique
Sous des liens secrets eut le seigneur Enrique ?
Sur quoi votre discours était-il donc fondé ?

CHRYSALDE

Je m'étonnais aussi de voir son procédé.

ARNOLPHE

1740 Quoi !...

CHRYSALDE

D'un hymen secret ma sœur eut une fille
Dont on cacha le sort à toute la famille.

ORONTE

Et qui, sous de feints noms, pour ne rien découvrir,
Par son époux, aux champs•, fut donnée à nourrir•.

1732 *malgré tout son murmure :* malgré toutes ses plaintes.
1733 *l'hyménée :* le mariage.
1743 *aux champs :* à la campagne.
nourrir : élever.

CHRYSALDE

Et dans ce temps le sort, lui déclarant la guerre,
1745 L'obligea de sortir de sa natale terre.

ORONTE

Et d'aller essuyer mille périls divers
Dans ces lieux séparés de nous par tant de mers.

CHRYSALDE

Où ses soins ont gagné ce que dans sa patrie
Avaient pu lui ravir l'imposture et l'envie.

ORONTE

1750 Et de retour en France, il a cherché d'abord•
Celle à qui de sa fille il confia le sort.

CHRYSALDE

Et cette paysanne a dit avec franchise
Qu'en vos mains à quatre ans elle l'avait remise.

ORONTE

Et qu'elle l'avait fait, sur votre charité•,
1755 Par un accablement d'extrême pauvreté.

CHRYSALDE

Et lui, plein de transport• et l'allégresse en l'âme,
A fait jusqu'en ces lieux conduire cette femme.

ORONTE

Et vous allez enfin la voir venir ici
Pour rendre aux yeux de tous ce mystère éclairci.

CHRYSALDE

1760 Je devine à peu près quel est votre supplice ;
Mais le sort en cela ne vous est que propice.
Si n'être point cocu vous semble un si grand bien,
Ne vous point marier en est le vrai moyen.

1750 *d'abord :* tout de suite.
1754 *sur votre charité :* comptant sur votre charité.
1756 *transport :* joie.

ARNOLPHE, *s'en allant tout transporté et ne pouvant parler.*

Oh !

ORONTE

D'où vient qu'il s'enfuit sans rien dire ?

HORACE

Ah ! mon père,

1765 Vous saurez pleinement• ce surprenant mystère.
Le hasard en ces lieux avait exécuté
Ce que votre sagesse avait prémédité•.
J'étais, par les doux nœuds d'une ardeur mutuelle,
Engagé de parole avecque• cette belle ;
1770 Et c'est elle, en un mot, que nous venez chercher,
Et pour qui mon refus a pensé• vous fâcher.

ENRIQUE

Je n'en ai point douté d'abord que• je l'ai vue,
Et mon âme depuis n'a cessé d'être émue.
Ah ! ma fille, je cède à des transports si doux.

CHRYSALDE

1775 J'en ferais de bon cœur, mon frère, autant que vous,
Mais ces lieux et cela ne s'accommodent guères•.
Allons dans la maison débrouiller ces mystères,
Payer à notre ami ses soins officieux,
Et rendre grâce au Ciel, qui fait tout pour le mieux.

1765 *vous saurez pleinement :* vous comprendrez dans le détail.
1767 *avait prémédité :* avait prévu de réaliser.
1769 *avecque :* au lieu de « avec » pour des raisons métriques.
1771 *a pensé :* a failli.
1772 *d'abord que :* aussitôt que.
1776 *mais ces lieux et cela ne s'accommodent guères :* mais les lieux ne se prêtent guère à cela.
guères : avec un *s* adverbial pour la rime.

UN ACTE MOUVEMENTÉ

- **Un dénouement heureux et surprenant :**

— Agnès était à nouveau dans les mains d'Arnolphe qui voulait la mener dans un couvent.

— Horace se voyait contraint par son père d'épouser une jeune fille qu'il ne connaissait pas.

— C'est au dernier moment qu'on comprend qu'Agnès est la nièce de Chrysalde, la jeune fille destinée à Horace.

- **Mais il a fallu cette découverte du dernier moment pour arracher Agnès aux griffes d'Arnolphe.** Ce dernier n'a reculé devant aucune bassesse :

— il a menti effrontément à son jeune ami qui lui confiait la jeune fille, ne songeant qu'à la lui reprendre.

— il l'a lâchement et brutalement trahi alors qu'il lui avait promis de plaider sa cause.

Arnolphe est bien un fourbe et un brutal (il a cessé de jouer à Agnès la comédie de l'amour).

C'est précisément sa fourberie qui a perdu Arnolphe : il a constitué autour de lui un monde faux sur lequel il n'a pas pu avoir prise quoi qu'il ait prévu :

— il croyait Horace mort : celui-ci était en train de fuir avec Agnès.

— il croyait pouvoir tenir Agnès enfermée : elle manifeste avec tant de véhémence qu'il est contraint de la faire venir.

— il pensait être débarrassé d'Horace par sa trahison : c'est lui-même qui se trouve éliminé.

Le spectateur n'éprouve aucune pitié pour ce sinistre personnage qui maintenant s'enfuit, et toute sa sympathie va aux deux jeunes gens qu'un hasard favorable a enfin réunis : ainsi, conformément à la règle du genre comique, le dénouement est-il entièrement heureux.

Documents

1 La Critique de L'École des femmes

SCÈNE 3 : CLIMÈNE, ÉLISE, URANIE, GALOPIN

CLIMÈNE. — Je viens de voir, pour mes péchés, cette méchante rapsodie[1] de *L'École des femmes*. Je suis encore en défaillance du mal de cœur que cela m'a donné, et je pense que je n'en reviendrai[2] de plus de quinze jours.
ÉLISE. — Voyez un peu comme les maladies arrivent sans qu'on y songe !
URANIE. — Je ne sais pas de quel tempérament nous sommes, ma cousine et moi ; mais nous fûmes avant-hier à la même pièce, et nous en revînmes toutes deux saines et gaillardes.
CLIMÈNE. — Quoi ? vous l'avez vue ?
URANIE. — Oui, et écoutée d'un bout à l'autre.
CLIMÈNE. — Et vous n'en avez pas été jusques aux convulsions, ma chère ?
URANIE. — Je ne suis pas si délicate, Dieu merci ; et je trouve, pour moi, que cette comédie serait plutôt capable de guérir les gens que de les rendre malades.
CLIMÈNE. — Ah mon Dieu ! que dites-vous là ? Cette proposition peut-elle être avancée par une personne qui ait du revenu[3] en sens commun ? Peut-on impunément, comme vous faites, rompre en visière à la raison ? Et dans le vrai de la chose, est-il un esprit si affamé de plaisanterie, qu'il puisse tâter des fadaises dont cette comédie est assaisonnée ? Pour moi, je vous avoue que je n'ai pas trouvé le moindre grain de sel dans tout cela. *Les enfants par l'oreille* m'ont paru d'un goût détestable ; la *tarte à la crème* m'a affadi le cœur ; et j'ai pensé vomir au *potage*.
ÉLISE. — Mon Dieu ! que tout cela est dit élégamment ! J'aurais cru que cette pièce était bonne ; mais Madame a une éloquence si persuasive, elle tourne les choses d'une manière si agréable, qu'il faut être de son sentiment, malgré qu'on en ait.
URANIE. — Pour moi, je n'ai pas tant de complaisance ; et, pour dire ma pensée, je tiens cette comédie une des plus plaisantes que l'auteur ait produites.
CLIMÈNE. — Ah ! vous me faites pitié, de parler ainsi ; et je ne saurais vous souffrir cette obscurité de discernement. Peut-on, ayant de la vertu, trouver de l'agrément dans une pièce qui tient sans cesse la pudeur en alarme, et salit à tous moments l'imagination ?

---

1 *rapsodie :* œuvre faite de morceaux, sans unité.
2 *je n'en reviendrai :* je ne m'en remettrai.
3 *du revenu :* métaphore précieuse : abondance de sens commun.

ÉLISE. — Les jolies façons de parler que voilà ! Que vous êtes, Madame, une rude joueuse en critique, et que je plains le pauvre Molière de vous avoir pour ennemie !
CLIMÈNE. — Croyez-moi, ma chère, corrigez de bonne foi votre jugement ; et pour votre honneur, n'allez point dire par le monde que cette comédie vous ait plu.
URANIE. — Moi, je ne sais pas ce que vous y avez trouvé qui blesse la pudeur.
CLIMÈNE. — Hélas ! tout ; et je mets en fait qu'une honnête femme ne la saurait voir sans confusion, tant j'y ai découvert d'ordures et de saletés.
URANIE. — Il faut donc que pour les ordures vous ayez des lumières que les autres n'ont pas ; car, pour moi, je n'y en ai point vu.
CLIMÈNE. — C'est que vous ne voulez pas y en avoir vu, assurément ; car enfin toutes ces ordures, Dieu merci, y sont à visage découvert. Elles n'ont point la moindre enveloppe qui les couvre, et les yeux les plus hardis sont effrayés de leur nudité.
ÉLISE. — Ah !
CLIMÈNE. — Hay, hay, hay.
URANIE. — Mais encore, s'il vous plaît, marquez-moi une de ces ordures que vous dites.
CLIMÈNE. — Hélas ! est-il nécessaire de vous les marquer ?
URANIE. — Oui. Je vous demande seulement un endroit qui vous ait fort choquée.
CLIMÈNE. — En faut-il d'autre que la scène de cette Agnès, lorsqu'elle dit ce que l'on lui a pris ?
URANIE. — Eh bien ! que trouvez-vous là de sale ?
CLIMÈNE. — Ah !
URANIE. — De grâce ?
CLIMÈNE. — Fi !
URANIE. — Mais encore ?
CLIMÈNE. — Je n'ai rien à vous dire.
URANIE. — Pour moi, je n'y entends point de mal.
CLIMÈNE. — Tant pis pour vous.
URANIE. — Tant mieux plutôt, ce me semble. Je regarde les choses du côté qu'on me les montre, et ne les tourne point pour y chercher ce qu'il ne faut pas voir.
CLIMÈNE. — L'honnêteté d'une femme...
URANIE. — L'honnêteté d'une femme n'est pas dans les grimaces. Il sied mal de vouloir être plus sage que celles qui sont sages. L'affectation en cette matière est pire qu'en toute autre ; et je ne vois rien de si ridicule que cette délicatesse d'honneur qui prend tout en mauvaise part, donne un sens criminel aux plus innocentes paroles, et s'offense de l'ombre des choses. Croyez-moi, celles qui font tant de façons n'en

sont pas estimées plus femmes de bien. Au contraire, leur sévérité mystérieuse et leurs grimaces affectées irritent la censure de tout le monde contre les actions de leur vie. On est ravi de découvrir ce qu'il y peut avoir à redire ; et, pour tomber dans l'exemple, il y avait l'autre jour des femmes à cette comédie, vis-à-vis de la loge où nous étions, qui par les mines qu'elles affectèrent durant toute la pièce, leurs détournements de tête, et leurs cachements de visage, firent dire de tous côtés cent sottises de leur conduite, que l'on n'aurait pas dites sans cela ; et quelqu'un même des laquais cria tout haut qu'elles étaient plus chastes des oreilles que de tout le reste du corps.

CLIMÈNE. — Enfin il faut être aveugle dans cette pièce, et ne pas faire semblant d'y voir les choses.

URANIE. — Il ne faut pas y vouloir voir ce qui n'y est pas.

CLIMÈNE. — Ah ! je soutiens, encore un coup, que les saletés y crèvent les yeux.

URANIE. — Et moi, je ne demeure pas d'accord de cela.

CLIMÈNE. — Quoi ? la pudeur n'est pas visiblement blessée par ce que dit Agnès dans l'endroit dont nous parlons ?

URANIE. — Non, vraiment. Elle ne dit pas un mot qui de soi ne soit fort honnête ; et si vous voulez entendre dessous quelque autre chose, c'est vous qui faites l'ordure, et non pas elle, puisqu'elle parle seulement d'un ruban qu'on lui a pris.

CLIMÈNE. — Ah ! ruban tant qu'il vous plaira ; mais ce *le*, où elle s'arrête, n'est pas mis pour des prunes. Il vient sur ce *le* d'étranges pensées. Ce *le* scandalise furieusement ; et, quoi que vous puissiez dire, vous ne sauriez défendre l'insolence de ce *le*.

ÉLISE. — Il est vrai, ma cousine, je suis pour Madame contre ce *le*. Ce *le* est insolent au dernier point, et vous avez tort de défendre ce *le*.

CLIMÈNE. — Il a une obscénité qui n'est pas supportable.

ÉLISE. — Comment dites-vous ce mot-là, Madame ?

CLIMÈNE. — Obscénité, Madame.

ÉLISE. — Ah ! mon Dieu ! obscénité. Je ne sais ce que ce mot veut dire ; mais je le trouve le plus joli du monde.

SCÈNE 5 : DORANTE, LE MARQUIS, CLIMÈNE, ÉLISE, URANIE

DORANTE. — Ne bougez, de grâce, et n'interrompez point votre discours. Vous êtes là sur une matière qui, depuis quatre jours, fait presque l'entretien de toutes les maisons de Paris, et jamais on n'a rien vu de si plaisant que la diversité des jugements qui se font là-dessus. Car enfin j'ai ouï condamner cette comédie à certaines gens, par les mêmes choses que j'ai vu d'autres estimer le plus.

URANIE. — Voilà Monsieur le Marquis qui en dit force mal.

LE MARQUIS. — Il est vrai, je la trouve détestable ; morbleu ! détestable du dernier détestable ; ce qu'on appelle détestable.

DORANTE. — Et moi, mon cher Marquis, je trouve le jugement détestable.
LE MARQUIS. — Quoi ? Chevalier, est-ce que tu prétends soutenir cette pièce ?
DORANTE. — Oui, je prétends la soutenir.
LE MARQUIS. — Parbleu ! je la garantis détestable.
DORANTE. — La caution n'est pas bourgeoise. Mais, Marquis, par quelle raison, de grâce, cette comédie est-elle ce que tu dis ?
LE MARQUIS. — Pourquoi elle est détestable ?
DORANTE. — Oui.
LE MARQUIS. — Elle est détestable parce qu'elle est détestable.
DORANTE. — Après cela, il n'y aura plus rien à dire : voilà son procès fait. Mais encore instruis-nous, et nous dis les défauts qui y sont.
LE MARQUIS. — Que sais-je, moi ? je ne me suis pas seulement donné la peine de l'écouter. Mais enfin je sais bien que je n'ai jamais rien vu de si méchant. Dieu me damne ; et Dorilas, contre qui j'étais[4], a été de mon avis.
DORANTE. — L'autorité est belle, et te voilà bien appuyé.
LE MARQUIS. — Il ne faut que voir les continuels éclats de rire que le parterre y fait. Je ne veux point d'autre chose pour témoigner qu'elle ne vaut rien.

SCÈNE 6 : LYSIDAS, DORANTE, LE MARQUIS, ÉLISE, URANIE, CLIMÈNE

LYSIDAS. — Ceux qui possèdent Aristote et Horace voient d'abord, Madame, que cette comédie pèche contre toutes les règles de l'art.
URANIE. — Je vous avoue que je n'ai aucune habitude avec ces Messieurs-là, et que je ne sais point les règles de l'art.
DORANTE. — Vous êtes de plaisantes gens avec vos règles, dont vous embarrassez les ignorants et nous étourdissez tous les jours. Il semble, à vous ouïr parler, que ces règles de l'art soient les plus grands mystères du monde ; et cependant ce ne sont que quelques observations aisées, que le bon sens a faites sur ce qui peut ôter le plaisir que l'on prend à ces sortes de poèmes ; et le même bon sens qui a fait autrefois ces observations les fait aisément tous les jours sans le secours d'Horace et d'Aristote. Je voudrais bien savoir si la grande règle de toutes les règles n'est pas de plaire, et si une pièce de théâtre qui a attrapé son but n'a pas suivi un bon chemin. Veut-on que tout un public s'abuse sur ces sortes de choses, et que chacun n'y soit pas juge du plaisir qu'il y prend ?
URANIE. — J'ai remarqué une chose de ces Messieurs-là : c'est que ceux qui parlent le plus des règles, et qui les savent mieux que les autres, font des comédies que personne ne trouve belles.

---

4 *contre qui j'étais* : à côté de qui je me trouvais.

DORANTE. — Et c'est ce qui marque, Madame, comme on doit s'arrêter peu à leurs disputes embarrassées. Car enfin, si les pièces qui sont selon les règles ne plaisent pas et que celles qui plaisent ne soient pas selon les règles, il faudrait de nécessité que les règles eussent été mal faites. Moquons-nous donc de cette chicane où ils veulent assujettir le goût du public, et ne consultons dans une comédie que l'effet qu'elle fait sur nous. Laissons-nous aller de bonne foi aux choses qui nous prennent par les entrailles, et ne cherchons point de raisonnements pour nous empêcher d'avoir du plaisir.

URANIE. — Pour moi, quand je vois une comédie, je regarde seulement si les choses me touchent ; et, lorsque je m'y suis bien divertie, je ne vais point demander si j'ai eu tort, et si les règles d'Aristote me défendaient de rire.

DORANTE. — C'est justement comme un homme qui aurait trouvé une sauce excellente, et qui voudrait examiner si elle est bonne sur les préceptes du *Cuisinier français*.

URANIE. — Il est vrai ; et j'admire les raffinements de certaines gens sur des choses que nous devons sentir par nous-mêmes.

DORANTE. — Vous avez raison, Madame, de les trouver étranges, tous ces raffinements mystérieux. Car enfin, s'ils ont lieu, nous voilà réduits à ne nous plus croire ; nos propres sens seront esclaves en toutes choses ; et, jusques au manger et au boire, nous n'oserons plus trouver rien de bon, sans le congé de Messieurs les experts.

LYSIDAS. — Enfin, Monsieur, toute votre raison, c'est que *L'École des femmes* a plu ; et vous ne vous souciez point qu'elle soit dans les règles, pourvu...

DORANTE. — Tout beau, Monsieur Lysidas, je ne vous accorde pas cela. Je dis bien que le grand art est de plaire, et que cette comédie ayant plu à ceux pour qui elle est faite, je trouve que c'est assez pour elle et qu'elle doit peu se soucier du reste. Mais, avec cela, je soutiens qu'elle ne pèche contre aucune des règles dont vous parlez. Je les ai lues, Dieu merci, autant qu'un autre ; et je ferais voir aisément que peut-être n'avons-nous point de pièce au théâtre plus régulière que celle-là.

ÉLISE. — Courage, Monsieur Lysidas ! nous sommes perdus si vous reculez.

LYSIDAS. — Quoi ? Monsieur, la protase, l'épitase, et la péripétie ?...

DORANTE. — Ah ! Monsieur Lysidas, vous nous assommez avec vos grands mots. Ne paraissez point si savant, de grâce. Humanisez votre discours, et parlez pour être entendu. Pensez-vous qu'un nom grec donne plus de poids à vos raisons ? Et ne trouveriez-vous pas qu'il fût aussi beau de dire l'exposition du sujet, que la protase, le nœud, que l'épitase, et le dénouement, que la péripétie ?

LYSIDAS. — Ce sont termes de l'art dont il est permis de se servir. Mais, puisque ces mots blessent vos oreilles, je m'expliquerai d'une autre façon, et je vous prie de répondre positivement à trois ou quatre choses que je vais dire. Peut-on souffrir une pièce qui pèche contre le nom propre des pièces de théâtre ? Car enfin, le nom de poème dramatique vient d'un mot grec qui signifie agir, pour montrer que la nature de ce poème consiste dans l'action ; et dans cette comédie-ci, il ne se passe point d'actions, et tout consiste en des récits que vient faire ou Agnès ou Horace.

LE MARQUIS. — Ah ! ah ! Chevalier.

CLIMÈNE. — Voilà qui est spirituellement remarqué, et c'est prendre le fin des choses.

LYSIDAS. — Est-il rien de si peu spirituel, ou, pour mieux dire, rien de si bas, que quelques mots où tout le monde rit, et surtout celui des *enfants par l'oreille* ?

CLIMÈNE. — Fort bien.

ÉLISE. — Ah !

LYSIDAS. — La scène du valet et de la servante au-dedans de la maison, n'est-elle pas d'une longueur ennuyeuse, et tout à fait impertinente ?

LE MARQUIS. — Cela est vrai.

CLIMÈNE. — Assurément.

ÉLISE. — Il a raison.

LYSIDAS. — Arnolphe ne donne-t-il pas trop librement son argent à Horace ? Et puisque c'est le personnage ridicule de la pièce, fallait-il lui faire faire l'action d'un honnête homme ?

LE MARQUIS. — Bon. La remarque est encore bonne.

CLIMÈNE. — Admirable.

ÉLISE. — Merveilleuse.

LYSIDAS. — Le sermon et les *Maximes* ne sont-elles pas des choses ridicules, et qui choquent même le respect que l'on doit à nos mystères ?

LE MARQUIS. — C'est bien dit.

CLIMÈNE. — Voilà parlé comme il faut.

ÉLISE. — Il ne se peut rien de mieux.

LYSIDAS. — Et ce Monsieur de la Souche enfin, qu'on nous fait un homme d'esprit, et qui paraît si sérieux en tant d'endroits, ne descend-il point dans quelque chose de trop comique et de trop outré au cinquième acte, lorsqu'il explique à Agnès la violence de son amour, avec ces roulements d'yeux extravagants, ces soupirs ridicules, et ces larmes niaises qui font rire tout le monde ?

LE MARQUIS. — Morbleu ! merveille !

CLIMÈNE. — Miracle !

ÉLISE. — Vivat Monsieur Lysidas !

LYSIDAS. — Je laisse cent mille autres choses, de peur d'être ennuyeux.

LE MARQUIS. — Parbleu ! Chevalier, te voilà mal ajusté.

DORANTE. — Il faut voir.

LE MARQUIS. — Tu as trouvé ton homme, ma foi !

DORANTE. — Peut-être.

LE MARQUIS. — Réponds, réponds, réponds, réponds.
DORANTE. — Volontiers. Il...
LE MARQUIS. — Réponds donc, je te prie.
DORANTE. — Laisse-moi donc faire. Si...
LE MARQUIS. — Parbleu ! je te défie de répondre.
DORANTE. — Oui, si tu parles toujours.
CLIMÈNE. — De grâce, écoutons ses raisons.
DORANTE. — Premièrement, il n'est pas vrai de dire que toute la pièce n'est qu'en récits. On y voit beaucoup d'actions qui se passent sur la scène, et les récits eux-mêmes y sont des actions, suivant la constitution du sujet ; d'autant qu'ils sont tous faits innocemment, ces récits, à la personne intéressée, qui par là entre, à tous coups, dans une confusion à réjouir les spectateurs, et prend, à chaque nouvelle, toutes les mesures qu'il peut pour se parer du malheur qu'il craint.
URANIE. — Pour moi, je trouve que la beauté du sujet de *L'École des femmes* consiste dans cette confidence perpétuelle ; et ce qui me paraît assez plaisant, c'est qu'un homme qui a de l'esprit, et qui est averti de tout par une innocente qui est sa maîtresse, et par un étourdi qui est son rival, ne puisse avec cela éviter ce qui lui arrive.
LE MARQUIS. — Bagatelle, bagatelle.
CLIMÈNE. — Faible réponse.
ÉLISE. — Mauvaises raisons.
DORANTE. — Pour ce qui est des *enfants par l'oreille*, ils ne sont plaisants que par réflexion à Arnolphe ; et l'auteur n'a pas mis cela pour être de soi un bon mot, mais seulement pour une chose qui caractérise l'homme et peint d'autant mieux son extravagance, puisqu'il rapporte une sottise triviale qu'a dite Agnès comme la chose la plus belle du monde, et qui lui donne une joie inconcevable.
LE MARQUIS. — C'est mal répondre.
CLIMÈNE. — Cela ne satisfait point.
ÉLISE. — C'est ne rien dire.
DORANTE. — Quant à l'argent qu'il donne librement, outre que la lettre de son meilleur ami lui est une caution suffisante, il n'est pas incompatible qu'une personne soit ridicule en de certaines choses et honnête homme en d'autres. Et pour la scène d'Alain et de Georgette dans le logis, que quelques-uns ont trouvée longue et froide, il est certain qu'elle n'est pas sans raison ; et de même qu'Arnolphe se trouve attrapé, pendant son voyage, par la pure innocence de sa maîtresse, il demeure, au retour, longtemps à sa porte par l'innocence de ses valets, afin qu'il soit partout puni par les choses qu'il a cru faire la sûreté de ses précautions.
LE MARQUIS. — Voilà des raisons qui ne valent rien.
CLIMÈNE. — Tout cela ne fait que blanchir[5].

5 *blanchir* : être sans effet.

ÉLISE. — Cela fait pitié.
DORANTE. — Pour le discours moral que vous appelez un sermon, il est certain que de vrais dévots qui l'ont ouï n'ont pas trouvé qu'il choquât ce que vous dites ; et sans doute que ces paroles d'*enfer* et de *chaudières bouillantes* sont assez justifiées par l'extravagance d'Arnolphe et par l'innocence de celle à qui il parle. Et quant au transport amoureux du cinquième acte, qu'on accuse d'être trop outré et trop comique, je voudrais bien savoir si ce n'est pas faire la satire des amants, et si les honnêtes gens même et les plus sérieux, en de pareilles occasions, ne font pas des choses... ?
LE MARQUIS. — Ma foi, Chevalier, tu ferais mieux de te taire.

2 L'Impromptu de Versailles

SCÈNE 5 : MADEMOISELLE DE BRIE, MADEMOISELLE BÉJART, MOLIÈRE

MADEMOISELLE BÉJART. — Souffrez que j'interrompe pour un peu la répétition (*A Molière*). Voulez-vous que je vous die ? Si j'avais été en votre place, j'aurais poussé les choses autrement. Tout le monde attend de vous une réponse vigoureuse ; et après la manière dont on m'a dit que vous étiez traité dans cette comédie, vous étiez en droit de tout dire contre les comédiens, et vous deviez n'en épargner aucun.
MOLIÈRE. — J'enrage de vous ouïr parler de la sorte ; et voilà votre manie, à vous autres femmes. Vous voudriez que je prisse feu d'abord contre eux, et qu'à leur exemple j'allasse éclater promptement en invectives et en injures. Le bel honneur que j'en pourrais tirer, et le grand dépit que je leur ferais ! Ne se sont-ils pas préparés de bonne volonté à ces sortes de choses ? Et lorsqu'ils ont délibéré s'ils joueraient *le Portrait du peintre*, sur la crainte d'une riposte, quelques-uns d'entre eux n'ont-ils pas répondu : « Qu'il nous rende toutes les injures qu'il voudra, pourvu que nous gagnions de l'argent ? » N'est-ce pas là la remarque d'une âme fort sensible à la honte ? et ne me vengerais-je pas bien d'eux en leur donnant ce qu'ils veulent bien recevoir ?
MADEMOISELLE DE BRIE. — Ils se sont fort plaints, toutefois, de trois ou quatre mots que vous avez dits d'eux dans la *Critique* et dans vos *Précieuses*.
MOLIÈRE. — Il est vrai, ces trois ou quatre mots sont fort offensants, et ils ont grande raison de les citer ! Allez, allez, ce n'est pas cela. Le plus grand mal que je leur aie fait, c'est que j'ai eu le bonheur de plaire un peu plus qu'ils n'auraient voulu ; et tout leur procédé, depuis que nous sommes venus à Paris, a trop marqué ce qui les touche. Mais laissons-les faire tant qu'ils voudront ; toutes leurs entreprises ne doivent point m'inquiéter. Ils critiquent mes pièces ; tant mieux ; et Dieu me garde d'en faire jamais qui leur plaise ! Ce serait une mauvaise affaire pour moi.

MADEMOISELLE DE BRIE. — Il n'y a pas grand plaisir pourtant à voir déchirer ses ouvrages.
MOLIÈRE. — Et qu'est-ce que cela me fait ? N'ai-je pas obtenu de ma comédie tout ce que j'en voulais obtenir, puisqu'elle a eu le bonheur d'agréer aux augustes personnes à qui particulièrement je m'efforce de plaire ? N'ai-je pas lieu d'être satisfait de sa destinée, et toutes leurs censures ne viennent-elles pas trop tard ? Est-ce moi, je vous prie, que cela regarde maintenant ? et lorsqu'on attaque une pièce qui a eu du succès, n'est-ce pas attaquer plutôt le jugement de ceux qui l'ont approuvée que l'art de celui qui l'a faite ?
MADEMOISELLE DE BRIE. — Ma foi, j'aurais joué ce petit Monsieur l'auteur, qui se mêle d'écrire contre des gens qui ne songent pas à lui.
MOLIÈRE. — Vous êtes folle. Le beau sujet à divertir la cour que Monsieur Boursaut ! Je voudrais bien savoir de quelle façon on pourrait l'ajuster pour le rendre plaisant, et si, quand on le bernerait sur un théâtre, il serait assez heureux pour faire rire le monde. Ce lui serait trop d'honneur que d'être joué devant une auguste assemblée : il ne demanderait pas mieux ; et il m'attaque de gaieté de cœur, pour se faire connaître de quelque façon que ce soit. C'est un homme qui n'a rien à perdre, et les comédiens ne me l'ont déchaîné que pour m'engager à une sotte guerre, et me détourner, par cet artifice, des autres ouvrages que j'ai à faire ; et cependant, vous êtes assez simples pour donner toutes dans ce panneau. Mais enfin j'en ferai ma déclaration publiquement. Je ne prétends faire aucune réponse à toutes leurs critiques et leurs contre-critiques. Qu'ils disent tous les maux du monde de mes pièces, j'en suis d'accord. Qu'ils s'en saisissent après nous, qu'ils les retournent comme un habit pour les mettre sur leur théâtre, et tâchent à profiter de quelque agrément qu'on y trouve, et d'un peu de bonheur[1] que j'ai, j'y consens : ils en ont besoin, et je serai bien aise de contribuer à les faire subsister, pourvu qu'ils se contentent de ce que je puis leur accorder avec bienséance. La courtoisie doit avoir des bornes ; et il y a des choses qui ne font rire ni les spectateurs, ni celui dont on parle. Je leur abandonne de bon cœur mes ouvrages, ma figure, mes gestes, mes paroles, mon ton de voix, et ma façon de réciter, pour en faire et dire tout ce qu'il leur plaira, s'ils en peuvent tirer quelque avantage : je ne m'oppose point à toutes ces choses, et je serai ravi que cela puisse réjouir le monde. Mais, en leur abandonnant tout cela, ils me doivent faire la grâce de me laisser le reste et de ne point toucher à des matières[2] de la nature de celles sur lesquelles on m'a dit qu'ils m'attaquaient dans leurs comédies. C'est de quoi je prierai civilement cet honnête Monsieur qui se mêle d'écrire pour eux, et voilà toute la réponse qu'ils auront de moi.

---

1 *bonheur :* chance, réussite.
2 *des matières :* il s'agit de la morale et de la religion.

Jugements

1 Les personnages

ARNOLPHE

« Arnolphe, le personnage principal de la pièce, a pris le parti de se marier. C'est un homme qui ne manque ni d'intelligence, ni d'esprit, ni de fort bonnes qualités. Il en a une surtout qui a été toujours fort rare, et qui peut-être devient plus rare aujourd'hui : il est désintéressé. Arnolphe a de la fortune, il a couru le monde et il a eu des aventures. On ne peut vraiment lui trouver qu'un seul défaut, et je suis obligé de vous dire lequel : il a une fort mauvaise opinion des femmes. »

H. Becque. *Molière et L'École des femmes*, Paris, 1886.

« Arnolphe, c'est Sganarelle de *L'École des maris*, un fantoche, petit de taille, sautillant, ironique, pointu, ahuri. »

A. Adam. *Histoire de la littérature française au XVIIe siècle*, t. III, Del Duca, 1952.

AGNÈS

« Agnès n'est pas une petite fille précoce, c'est une grandè fille qui est en retard. »

B. Dussane. *Le Comédien sans paradoxe*, Plon, 1934.

« Agnès est une poupée, la poupée type. Lorsqu'on presse le ressort qui la déclenche, elle débite des phrases qui tintent comme une pendule... Elle a des yeux de cristal. Elle parle d'une voix apprise. Quoi que tente Arnolphe, elle demeure impassible... Elle est sans passé, sans histoire, sans avenir. Les réponses qu'elle fait n'expriment pas un être humain. Elle tient le langage d'un emploi. »

P. Brisson. *Molière*, Gallimard, 1942.

HORACE

« Les personnages dits gentils, eux-mêmes, les petits amoureux qui bénéficient de la sympathie de commande qu'on accorde, on ne sait pourquoi, à la jeunesse — cette laideur en fleur — les Horace, les Agnès, les Isabelle, les Lucile, les Valère, les Damis ne pensent strictement, si vous pesez leur comportement et leurs mots, qu'à leur étroite petite personne et à ses niaises satisfactions. »

J. Anouilh
Cahiers de la Compagnie Madeleine Renaud-J. L. Barrault, Julliard, 1959.

CHRYSALDE

« Par son insouciance, sa bonhomie, son peu de penchant pour les principes solennels qui sont d'ordinaire le signe d'honorabilité de sa classe, ce sage de fantaisie rejoint la tradition populaire. »

P. Bénichou. *Morales du Grand Siècle*, Paris, Gallimard, 1948.

2 L'action

« Nous avons lu, Beyle et moi, *L'École des femmes* et *Les Femmes savantes*. *L'École des femmes* nous a charmés. Nous y remarquons tous les personnages utiles et concourant à l'action. L'action est animée et les caractères sont tous d'une grande force comique. »

Journal de Crozet

30 janvier 1805, dans Stendhal, *Œuvres intimes*, Paris, N. R. F., 1955.

3 L'impiété de Molière

« Cette *École* est pleine d'impiété dans les maximes qu'on destine à l'instruction d'Agnès et dans le prône qu'on lui fait. »

Robinet

Panégyrique de L'École des femmes, Paris, nov. 1663.

4 Sur le comique

« Les postures contribuent à la réussite de ces sortes de pièces, et elles doivent ordinairement tout leur succès aux grimaces d'un acteur. Nous en avons eu un exemple dans *L'École des femmes*, où les grimaces d'Arnolphe, le visage d'Alain, et la judicieuse scène du Notaire ont fait rire bien des gens. »

Donneau de Visé

Lettre sur les affaires de théâtre, dans *Diversités galantes*, Paris, 1664.

« Les *Écoles*, les *Précieuses*, *Le Mariage forcé*, *L'Amour médecin*, *L'Avare*, le *Bourgeois*, *Le Malade imaginaire*, d'autres encore, se ramènent facilement au type de la farce. Il n'y a aucune évolution dans la carrière du comédien sinon celle d'une technique qui prend de l'assurance. »

R. Bray. *Molière homme de théâtre*, Mercure de France, 1954.

« Maintenant, sur l'acteur qui joue Arnolphe, je peux te dire tout ce qu'on veut. C'est mauvais, ce qu'il fait, mais il a raison parce qu'il fait rire, et par des moyens qui ne sont pas ignobles. Arnolphe, ce n'est pas ça, c'est un autre personnage, entendu, mais ce qui est merveilleux dans le classique, c'est que s'il y a quarante autres types qui jouent encore Arnolphe, ce ne sera encore pas ça, mais s'ils font rire le public, ils auront raison, ils auront gagné. »

L. Jouvet. *Molière et la comédie classique*, Gallimard, 1965.

5 Sur la portée de la pièce

« Du côté de ceux qui suivent la nature, du côté de ceux-là sont aussi la vérité, le bon sens, l'honnêteté, la vertu ; et de l'autre côté le ridicule, et la prétention, et l'hypocrisie, c'est-à-dire du côté de ceux qui se défient de la nature, qui la traitent en ennemie, et dont la morale est de nous enseigner à la combattre pour en triompher. »

F. Brunetière
Histoire de la littérature française classique, Delagrave, 1912.

« Nous ne croyons pas... que *L'École des femmes* suggère, comme le veut Mornet, « une philosophie de l'amour et du mariage et, à travers l'amour et le mariage, une philosophie ou du moins une sagesse de la vie ». Ce sont les ennemis de Molière qui ont accrédité ces opinions. Pour démolir une réputation gênante, ils ont lancé contre lui l'accusation d'irréligion, et ce, dès *L'École des femmes* ; ils ont ameuté les gens de bien. »

R. Bray. *Molière homme de théâtre*, Mercure de France, 1954.

Lecture thématique de L'École des femmes

C'est une tâche bien délicate d'essayer de dégager la « thématique » d'une œuvre dont on s'est, par ailleurs, efforcé de montrer qu'elle était une comédie d'acteur, c'est-à-dire le contraire d'une comédie à thèse (voir *Notice*, p. 18).

Qu'est-ce en effet qu'un thème ? C'est une idée, une obsession parfois, qui est à l'origine de la création et que la critique s'efforce d'isoler pour en analyser le contenu. On pourra ainsi étudier la thématique de la préciosité dans *Les Précieuses ridicules* ou celle de la prétention sociale dans *Le Bourgeois gentilhomme*. Mais il n'est pas certain qu'on puisse dégager ainsi une thématique cohérente de toutes les comédies de Molière parce qu'il n'a pas construit toutes ses pièces sur une idée-force : c'est parfois en partant de considérations purement techniques (nombre de comédiens disponibles, utilisation d'un sujet dont le succès était assuré, réponse à une commande de comédie-ballet) qu'il a pu concevoir certaines de ses œuvres.

Si donc nous cherchons à dégager ce qui peut passer pour des thèmes, il nous faut toujours garder à l'esprit que ce que nous isolons n'est, le plus souvent, qu'un élément simple qui ne saurait passer pour la composante essentielle de la comédie : il s'agit, la plupart du temps, de préoccupations de l'époque (la préciosité, le problème de la condition féminine, par exemple), c'est-à-dire, en définitive, de ce qui a le plus « vieilli » dans chacune de ces œuvres. Ce qui fait la force de ces comédies, ce qui en constitue la beauté et la grandeur et qui ne saurait vieillir, c'est le rapport que les personnages entretiennent entre eux.

Nous serons donc amenés à distinguer ce que nous pourrions appeler les « thèmes anecdotiques » — en l'occurrence il s'agit essentiellement des problèmes du mariage — d'une thématique plus profonde qui nous semble pouvoir se définir comme « thématique du masque ».

1 Les thèmes anecdotiques

1 Au premier rang de ces thèmes se trouve **le cocuage** : les cocus sont le sujet permanent de la conversation entre Chrysalde et Arnolphe dans les deux scènes qui les réunissent (dont celle qui « ouvre » la comédie, au lever du rideau), et on en trouve la mention tout au long de la pièce. C'est, bien évidemment un thème comique traditionnel que celui des infortunes conjugales : la comédie a toujours fait rire avec ce personnage ridicule parce que trompé et a développé un vocabulaire du cocuage suffisant à lui seul pour faire jubiler une salle de théâtre. Le *cornard* (v. 26), celui à qui sa femme a *planté* (v. 76) des cornes, celui dont le *front* (v. 80) est bien visible, celui-là est un objet de rire. Molière ne s'est guère privé d'utiliser ce ressort comique : il avait joué en mai 1660, au lendemain des *Précieuses ridicules* une comédie qu'il avait intitulée *Sganarelle ou le Cocu imaginaire*, qui tournait tout entière sur ce problème de l'infidélité conjugale (réelle ou imaginaire). Ce thème avait d'ailleurs fourni anciennement un canevas sur lequel les comédiens pouvaient broder et que Molière eut l'occasion d'utiliser à ses débuts, dans *La Jalousie du Barbouillé* : il s'agit de la consultation par un mari jaloux d'un *docteur : Il faut avouer que je suis le plus malheureux de tous les hommes. J'ai une femme qui me fait enrager : au lieu de me donner du soulagement et de faire les choses à mon souhait, elle me fait donner au diable vingt fois le jour ; au lieu de se tenir à la maison, elle aime la promenade, la bonne chère, et fréquente je ne sais quelle sorte de gens. Ah ! pauvre Barbouillé, que tu es misérable ! Il faut pourtant la punir. Si je la tuais... L'invention ne vaut rien, car tu serais pendu. Si tu la faisais mettre en prison... La carogne en sortirait avec son passe-partout. Que diable faire donc ? Mais voilà Monsieur le Docteur qui passe par ici : il faut que je lui demande un bon conseil sur ce que je dois faire* (I, 1). C'est encore un thème voisin qu'utilisera Molière dans la comédie qu'il représentera en janvier 1664, *Le Mariage forcé*, où Sganarelle, qui songe à se marier, interroge deux *docteurs* pour savoir s'il doit craindre *la disgrâce dont on ne plaint personne* (sc. 4).

Mais ce qui est nouveau dans notre comédie, c'est que les cocus ne sont plus seulement l'occasion de rire : ils sont aussi véritablement l'objet de satire. Dans *La Jalousie du Barbouillé* ou dans *Le Mariage forcé* on riait autant, sinon davantage du ou des *docteurs*. Dans *L'École des femmes* en revanche, les cocus sont hissés au rang de personnages importants qui méritent un traitement particulier. Molière s'en prend à eux sur plusieurs... fronts, si l'on peut dire. Il raille tout d'abord le cocu « ordinaire », celui dont l'épouse infidèle fait des confidences destinées à endormir sa méfiance : *L'une, de son galant, en adroite femelle, / Fait fausse confidence à son époux fidèle / Qui dort en sûreté sur un pareil appas, / Et le plaint, ce galant, des soins qu'il ne perd pas* (vv. 35-39). La *confrérie* (v. 1276) doit d'ailleurs être assez nombreuse si nous devons en croire Arnolphe : une des premières choses qu'il demande à Horace lorsqu'il le rencontre c'est précisément s'il n'a pas eu quelque aventure : *Les gens faits comme vous font plus que les écus, / Et vous êtes de taille à faire des cocus* (vv. 301-302).

2 Molière ne se contente pourtant pas d'évoquer ces personnages ridicules, fût-ce en les haussant au rang d'objet d'étude philosophique (cf. vv. 1188-1191) ; il s'en prend aussi **à ceux qui manifestent une trop évidente complaisance.** C'est, en effet, une variation remarquable sur le thème du cocuage que développent plusieurs personnages de la comédie. Arnolphe d'abord qui, dans la première scène, accuse certains maris de s'accommoder fort bien d'une situation qui pouvait ne pas être sans compensations : *... est-il au monde une autre ville aussi / Où l'on ait des maris si patients qu'ici ?* (vv. 21-22). Il esquisse même avec esprit le portrait de ces maris complaisants (vv. 23-44). Quant à Chrysalde, s'il se garde bien d'ironiser sur les infortunes des autres, de peur qu'on n'ironise sur les siennes le jour venu, il n'en condamne pas moins formellement cette tolérance excessive de certains hommes : *... et, bien qu'aux occurrences / Je puisse condamner certaines tolérances, / Que mon dessein ne soit de souffrir nullement / Ce que d'aucuns maris souffrent paisiblement, / Pourtant je n'ai jamais affecté de le dire...* (vv. 51-55). Il n'est pas jusqu'à Georgette qui s'étonne de la jalousie de *Monsieur* alors que tant d'hommes ne se montrent guère fâchés de voir leur femme courtisée par des galants : *Oui ; mais pourquoi chacun n'en fait-il pas de même, / Et que nous en voyons qui paraissent joyeux / Lorsque leurs femmes sont avec les biaux monsieux ?* (vv. 440-442).

La condamnation est d'autant plus nette qu'elle se trouve dans la bouche de personnages différents et qu'elle est reproduite dans le cours de la comédie (voyez, par exemple, le « couplet » de Chrysalde sur ces procédés blâmables à la scène 8 de l'acte IV, vv. 1252-1260). Nul doute d'ailleurs que certains maris de la bonne société n'aient offert à Molière ces *sujets de satire* (v. 43) et qu'écrivant sa comédie il ait songé à quelque scandale récent comme semble le laisser entendre la réplique de Chrysalde : *Mille gens le sont bien, sans vous faire bravade, / Qui de mine, de cœur, de biens et de maison / Ne feraient avec vous nulle comparaison.* (vv. 1313-1315). Et surtout le cocuage est un thème constant de *L'École des femmes* puisqu'en définitive la comédie n'est rien d'autre que l'histoire d'un homme qui a fait élever une fille dans des conditions d'isolement telles qu'il se croit assuré de n'être pas cocu lorsque sera venu le temps où il pourra l'épouser : *Épouser une sotte est pour n'être point sot* (v. 82). C'est là une nouvelle satire : elle s'adresse à ceux qui ne redoutent rien tant que le cocuage parce qu'ils ont une conception un peu limitée de ce qu'est l'honneur : *C'est un étrange fait qu'avec tant de lumières / Vous vous effarouchiez toujours sur ces matières ; / Qu'en cela vous mettiez le souverain bonheur, / Et ne conceviez point au monde d'autre honneur. / Être avare, brutal, fourbe, méchant et lâche / N'est rien, à votre avis, auprès de cette tache, / Et, de quelque façon qu'on puisse avoir vécu, / On est homme d'honneur quand on n'est point cocu* (vv. 1228-1235). Arnolphe est bien le prototype de ces hommes qui mettent tout leur soin à éviter une telle disgrâce : c'est devenu chez lui une hantise au point qu'il n'hésite pas à utiliser les procédés les plus déloyaux pour éviter cet accident.

Mais dans le même temps, et c'est un élément important du comique, Arnolphe représente le type même du cocu. Son nom lui-même est un nom de cocu : dans les fabliaux du douzième et du treizième siècle saint Arnolphe est le patron des cocus. *Devoir une chandelle à saint Arnolphe* était une locution proverbiale utilisée pour dire d'un mari qu'il était trompé. Sans doute le personnage de notre comédie n'est-il pas marié avec la jeune Agnès ; il n'est pas, par conséquent, dans une situation à être cocu. Mais il a établi entre la jeune fille et lui-même des rapports tels qu'il reconnaît lui-même que son honneur est concerné lorsqu'il apprend l'aventure avec Horace : *Je la regarde en femme, aux termes qu'elle en est ; / Elle n'a pu faillir sans me couvrir de honte, / Et tout ce qu'elle a fait enfin est sur mon compte* (vv. 382-384). Mais s'il représente le type même du cocu, ce n'est pas seulement parce qu'Agnès est mariée avec lui *à demi* (v. 1034), c'est parce que son comportement et ses réactions sont ceux de tous les cocus « ordinaires ». Et Molière a relevé encore le piquant de cette situation en construisant sa comédie de telle façon qu'Arnolphe soit tenu au courant — par son rival — des échecs successifs des précautions qu'il a prises et des progrès de son infortune (voir *Notice*, p. 15). Lorsque Arnolphe essaie d'empêcher toute communication entre Agnès et Horace, il a un comportement de mari trompé ; de même lorsqu'il essaie d'intimider la jeune fille par une véritable « scène de ménage » dont Horace nous fait le récit (IV, 6).

On le voit, le cocuage et les cocus tiennent une place importante dans cette comédie : on les rencontre dans les propos de presque tous les personnages ; ils conditionnent même la structure de la pièce. Il était donc inévitable que fussent évoqués aussi les « partenaires » des cocus : les séducteurs et les femmes.

3 **Les séducteurs** ne sont guère évoqués avec réprobation : on ne semble pas leur tenir une rigueur excessive de leur conduite. Si Arnolphe en brosse un portrait menaçant, ce n'est que pour effrayer un peu Agnès : *De tous ces damoiseaux on sait trop les coutumes : / Ils ont de beaux canons, force rubans et plumes, / Grands cheveux, belles dents et des propos fort doux ; / Mais, comme je vous dis, la griffe est là-dessous, / Et ce sont vrais Satans, dont la gueule altérée / De l'honneur féminin cherche à faire curée* (vv. 651-656). Mais dans les deux scènes (I, 1 et IV, 8) au cours desquelles Arnolphe et Chrysalde dissertent sur les infortunes conjugales, on remarquera qu'ils n'ont pas un mot sur les hommes qui en sont les auteurs. La raison en est sans doute qu'eux aussi ont été, en leur temps, à la recherche de bonnes fortunes et qu'ils sont en quelque sorte solidaires des séducteurs. Si donc le vocabulaire qui sert à désigner ces hommes est plutôt péjoratif (*blondin*, *galant*, *damoi-*

seau, godelureau, séducteur), cela se justifie, la plupart du temps, par la situation de défense dans laquelle se trouve celui qui utilise ces mots et non pas du tout par un parti pris de condamnation morale. Il n'est, pour s'en persuader, que de se reporter à la première rencontre entre Horace et Arnolphe au cours de laquelle ce dernier interroge le jeune homme sur les aventures qu'il a pu avoir dans la ville : *Peut-être en avez-vous déjà féru quelqu'une. / Vous est-il point encore arrivé de fortune ? / Les gens faits comme vous font plus que les écus, / Et vous êtes de taille à faire des cocus* (vv. 299-302). Et comme Horace lui répond qu'il a une aventure, Arnolphe se réjouit d'avoir un nouveau *conte gaillard* (v. 306) à mettre sur ses tablettes.
En définitive, ces jeunes gens ne tiennent pas beaucoup de place dans la comédie, même si Horace est un garçon bien sympathique : ils sont les instruments du cocuage plus que les vrais responsables.

4 Ce sont en effet **les femmes** qui sont cause du déshonneur que peuvent encourir les hommes et cela justifie la place importante qu'elles occupent à côté de ceux qui sont présentés, la plupart du temps, comme leurs victimes : les maris. Car c'est sur la femme que repose l'honneur de l'homme : *Songez qu'en vous faisant moitié de ma personne, / C'est mon honneur, Agnès, que je vous abandonne* (vv. 723-724). Et ce n'est pas là, tant s'en faut, une conception particulière au Seigneur Arnolphe.
Or les femmes sont présentées comme des êtres fragiles et dangereux auxquels on ne saurait se fier : *Tout le monde connaît leur imperfection : / Ce n'est qu'extravagance et qu'indiscrétion. / Leur esprit est méchant, et leur âme fragile ; / Il n'est rien de plus faible et de plus imbécile, / Rien de plus infidèle...* (vv. 1574-1578). *Ces animaux-là* (v. 1579) ont une adresse redoutable lorsqu'il s'agit de tromper ceux qui leur ont donné leur foi : *Je sais les tours rusés et les subtiles trames / Dont, pour nous en planter, savent user les femmes, / Et comme on est dupé par leurs dextérités* (vv. 75-77). Une femme, pour Arnolphe, est d'autant plus à craindre qu'elle est plus intelligente et plus cultivée : *Son bel esprit lui sert à railler nos maximes,* [...] */ Et trouver, pour venir à ses coupables fins, / Des détours à duper l'adresse des plus fins* (vv. 824-827). L'expérience qu'il va faire avec Agnès lui montrera d'ailleurs que la plus innocente n'est pas non plus la plus maladroite.

5 Dans ces conditions **le mariage** est présenté comme un véritable jeu de hasard, et si Arnolphe passe pour fou aux yeux de Chrysalde, c'est précisément parce qu'il prétend défier le hasard : *J'ai cherché les moyens, voulant prendre une femme, / De pouvoir garantir mon front de tous affronts / Et le tirer de pair d'avec les autres fronts* (vv. 1193-1195). En définitive, son idée d'épouser une parfaite sotte est une conséquence logique de la conception du mariage qui domine dans cette comédie.

Chrysalde lui-même ne voit aucun moyen assuré d'échapper au cocuage et s'en remet donc entièrement au sort : *Ainsi, quand à mon front, par un sort qui tout mène, / Il serait arrivé quelque disgrâce humaine...* (vv. 59-60). Son fatalisme le conduit à prêcher l'indifférence à l'égard de cet « accident » : *Mettez-vous dans l'esprit qu'on peut du cocuage / Se faire en galant homme une plus douce image, / Que, des coups du hasard aucun n'étant garant, / Cet accident de soi doit être indifférent, / Et qu'enfin tout le mal, quoi que le monde glose, / N'est que dans la façon de recevoir la chose* (vv. 1244-1249). A le bien prendre, l'attitude de Chrysalde et celle d'Arnolphe ne sont pas essentiellement différentes : toutes deux reposent sur une certaine conception du mariage — à quelques nuances près, celle qu'Arnolphe expose longuement à Agnès en III, 2 — et qui ressortit davantage à l'appropriation d'un être (*Votre sexe n'est là que pour la dépendance*, v. 699) qu'à la constitution d'un « couple ». Chrysalde, lui, a renoncé par avance, à exercer un contrôle bien précis de son droit de propriété, en priant Dieu qu'il soit respecté, tandis qu'Arnolphe est bien décidé à ne pas se laisser déposséder : *Quoi ! j'aurai dirigé son éducation / Avec tant de tendresse et de précaution* / [...] / *Afin qu'un jeune fou dont elle s'amourache / Me la vienne enlever jusque sur la moustache ?* (vv. 1026-1033). Alain, lorsqu'il explique à Georgette les raisons qu'Arnolphe a d'être jaloux, ne fait rien d'autre que de reproduire, de façon caricaturale, la conception que la société a, en général, du mariage, celle de Chrysalde aussi bien que d'Arnolphe : *La femme est en effet le potage de l'homme, / Et, quand un homme voit d'autres hommes parfois / Qui veulent dans sa soupe aller tremper leurs doigts, / Il en montre aussitôt une colère extrême* (vv. 436-439).

C'est la raison pour laquelle Arnolphe tente d'enfermer Agnès dans un réseau effrayant de barrières morales dont il est persuadé qu'elle ne pourra pas sortir : *Le mariage, Agnès, n'est pas un badinage. / A d'austères devoirs le rang de femme engage* (vv. 695-696). C'est ainsi que se justifient les *chaudières bouillantes* (v. 727) et autres chansons qu'il lui conte pour l'enfermer dans une conduite. Il faut en effet bien voir que si Arnolphe est tout à fait maladroit dans ces leçons qu'il donne à la jeune fille (notamment en lui parlant de ce qu'elle ne peut pas comprendre), cela ne signifie pas qu'il n'a pas une conception précise du mariage (qu'il considère comme une sorte de domestication). Les principes qu'il énonce sont donc, à ses yeux, tout à fait salutaires, et il affirme nettement que si on voit tant de *coquettes vilaines* (v. 719) c'est précisément parce qu'ils sont négligés et qu'on laisse beaucoup trop de liberté aux femmes. Les apparences lui donnent d'ailleurs partiellement raison : il évoque, en effet, le monde secret des entremetteuses qui gravitent autour des jolies femmes et qui se chargent de faire les présentations et d'assurer le passage des billets : *Dans la maison toujours je prétends la tenir, / Y faire bonne garde et surtout en bannir / Vendeuses de ruban, perruquières, coiffeuses, / Faiseuses de mouchoirs, gantières, revendeuses, / Tous ces gens qui sous main travaillent chaque jour / A faire réussir les mystères d'amour* (vv. 1134-1139). Il n'a pas tort puisque dans ses premières démarches Horace a eu recours à une de ces femmes pour avoir accès auprès de la jeune beauté qu'il avait aperçue sur son balcon : *J'avais pour de tels coups certaine vieille en main* (v. 970 ; voir aussi le récit d'Agnès aux vv. 513-514).

On le voit, le tableau est bien sombre : les femmes, telles que nous les présentent Arnolphe et Chrysalde, ne sont pas, tant s'en faut, des anges de vertu. Ont-elles une conduite irréprochable ? Elles se transforment alors en harpies difficilement supportables : *Pensez-vous qu'à choisir de deux choses prescrites, / Je n'aimasse pas mieux être ce que vous dites / Que de me voir mari de ces femmes de bien / Dont la mauvaise humeur fait un procès pour rien, / Ces dragons de vertu, ces honnêtes diablesses, / Se retranchant toujours sur leurs sages prouesses, / Qui, pour un petit tort qu'elles ne nous font pas, / Prennent droit de traiter les gens de haut en bas / Et veulent, sur le pied de nous être fidèles, / Que nous soyons tenus à tout endurer d'elles* (vv. 1292-1301). A la seule évocation de ces femmes honnêtes, Chrysalde frémit et affirme nettement qu'après tout le cocuage *a ses plaisirs comme les autres choses* (v. 1305).

Seules deux femmes sont épargnées par cette satire généralisée. L'épouse de Chrysalde, d'abord : *Je crois, en bon chrétien, votre moitié fort sage, / Mais une femme habile est un mauvais présage* (vv. 83-84). Le compliment n'est pas sans nuances : il laisse entendre que comme toute femme *habile* cette épouse pourrait bien ne pas rester *sage*. Parfaite, en revanche, est l'épouse d'Enrique, sœur de Chrysalde, qui a droit à la qualification d'*épouse fidèle* (v. 1657), et dont on évoque la *chère présence* (v. 1661). Il est vrai que cette femme, la seule femme vertueuse de la comédie, est morte depuis longtemps et que par conséquent on n'a plus d'écarts à craindre de sa part. De tout cela il ressort clairement que Molière a repris les thèmes de la satire, traditionnels depuis Juvénal (voir notamment Boileau, *Satire* X), qui montrent la femme affublée de tous les vices et de tous les ridicules.

Sans aucun doute cette satire se justifie par la conception que les sociétés qui l'ont produite avaient de la femme et de son rôle idéal. Et en apparence, il n'y a rien de nouveau avec Molière. Il se dégage pourtant de cette comédie une vision moins simpliste de la femme. Mais ce n'est pas au développement de telle discussion entre des personnages qu'on doit cette image, c'est tout simplement à la contemplation du seul personnage féminin d'une œuvre qui s'appelle *L'École des femmes*. (Georgette ne se distingue nullement en tant que femme : elle n'est qu'une composante du « personnel » d'Arnolphe.) Agnès est en effet un personnage très important : non seulement elle est la seule femme qu'il nous est donné de voir dans cette comédie, mais en outre elle est, pour ainsi dire, la femme à l'état brut. On remarquera, en effet, qu'Arnolphe a confié la jeune fille au couvent (v. 135) non pas pour lui donner une éducation, mais bien au contraire pour éviter qu'elle puisse apprendre quoi que ce soit : *Dieu merci le succès a suivi mon attente ; / Et, grande, je l'ai vue à ce point innocente / Que j'ai béni le ciel d'avoir trouvé mon fait* (vv. 139-141). Il a d'ailleurs l'occasion de regretter qu'on lui ait appris à écrire (vv. 946-947). Et par conséquent le véritable sentiment de Molière sur les femmes, sur ce qu'elles pourraient être, c'est sans doute dans l'analyse du personnage d'Agnès qu'il est possible de le trouver. Analyse bien délicate, à la vérité, d'un être que l'amour fait changer : de la jeune sotte qui demande si on fait les enfants par l'oreille (vv. 161-164) à la femme qui cherche instinctivement un détour pour ne pas répondre trop brutalement à une question pressante (vv. 1531-1532), en passant par l'innocente qui oublie de dire à son tuteur qu'elle a reçu la visite d'un beau jeune homme, ce sont là plusieurs images d'une même femme qu'il n'est pas aisé de « réduire » par l'analyse.

Ce qui paraît évident, en revanche, c'est qu'Horace et Agnès nous donnent du mariage une idée bien différente de celles qu'ont exposées Arnolphe et Chrysalde : ils ne dissertent pas, eux, sur le mariage et ses infortunes, ils se contentent de vivre un amour qui aboutit au mariage. Horace va même jusqu'à présenter avec enthousiasme l'amour comme *un grand maître* (v. 900), seul véritable responsable du changement d'Agnès : *Il rend agile à tout l'âme la plus pesante, / Et donne de l'esprit à la plus innocente* (vv. 908-909). Mais en dehors de ce petit couplet sur les vertus pédagogiques de l'amour (qui justifie le titre de la comédie), on ne trouve pas beaucoup d'indications sur le mariage, et il n'est pas assuré que Molière ait voulu donner à son public une théorie bien précise à ce sujet. Simplement il oppose à la conception contraignante dont Arnolphe fait l'exposé, un exposé un peu caricatural, il est vrai, l'image d'une union qui repose sur la confiance réciproque. C'était déjà la conclusion de *L'École des maris*, c'est aussi celle de *L'École des femmes*. Et dans ce domaine, comme l'a très justement fait remarquer A. Adam, Molière se trouve en plein accord avec les thèses de la préciosité : « Il l'est tout particulièrement sur un point qui semblait aux Précieuses essentiel. Il croit que la vertu exclut toute contrainte, qu'elle suppose une adhésion libre, qu'elle n'a de valeur qu'à ce prix. Cette idée... c'est proprement une thèse précieuse, c'est même la thèse essentielle de la Préciosité. »

2 La thématique du masque

La vérité de Molière n'est pas dans un exposé doctrinal, l'analyse qui précède vient de nous le confirmer. S'il est possible de déterminer les idées de Molière sur les femmes ou sur le mariage, ce n'est pas, avons-nous dit, à travers les discussions d'Arnolphe et de Chrysalde qu'on peut les trouver, c'est dans les personnages eux-mêmes et dans leur comportement qu'on peut tenter de les cerner. C'est la raison pour laquelle il est permis, lorsqu'on a évoqué les thèmes évidents de la comédie, ceux que nous avons appelés « les thèmes anecdotiques » et qui constituent, en quelque sorte le contenu daté de la pièce, de rechercher s'il n'y a pas dans l'œuvre des attitudes, des comportements plus particulièrement remarquables et qui, parce qu'ils soulignent les difficultés des rapports entre les hommes, constituent sans doute les problèmes véritables, les thèmes essentiels, ceux qui ne vieillissent pas, ceux qui ne sont pas soumis aux caprices de l'actualité ou de la mode.

Or si l'on regarde bien ces personnages qui vivent devant nous quelques instants de leur vie, on s'aperçoit qu'une des constantes dans leurs préoccupations ou dans leurs comportements est **le besoin de se cacher, d'échapper aux regards des autres, de s'avancer masqués.**

1 L'usage du pseudonyme : Ce besoin est très évidemment marqué, dès le début de la comédie, dans le désir d'Arnolphe de changer de nom, par exemple, et de se faire appeler M. de la Souche, au grand étonnement de Chrysalde qui le raille gentiment : *Quel abus de quitter le vrai nom de ses pères / Pour en vouloir prendre un bâti sur des chimères !* (vv. 175-176). Arnolphe ne donne d'ailleurs aucune explication précise de cette lubie : *J'y vois de la raison, j'y trouve des appas* (v. 185). Sans doute Molière songeait-il à faire la satire de cette *démangeaison* (v. 177) de beaucoup de ses contemporains d'affubler leur nom d'une particule, mais quand il s'agit d'Arnolphe la notation est importante parce que c'est un trait essentiel de son caractère qui est ainsi indiqué dès les premières minutes de la comédie : la suite de la pièce confirme en effet qu'il est l'homme qui se cache, se dissimule ou se déguise. Il se cache des autres quand il a décidé de se marier : il a mis Agnès *dans un petit couvent, loin de toute pratique* (v. 135). Depuis qu'elle est en âge de se marier, il la tient dans une maison qui n'est pas la sienne : *Je l'ai donc retirée, et comme ma demeure / A cent sortes de monde est ouverte à toute heure, / Je l'ai mise à l'écart, comme il faut tout prévoir / Dans cette autre maison où nul ne me vient voir* (vv. 143-146).

2 Arnolphe masqué devant Horace : C'est à ce parti pris de dissimulation qu'on doit, en définitive, toute la comédie : lorsqu'il rencontre Horace, il se garde bien de l'interrompre dans le récit de son aventure ; le seul regret qu'il manifeste, une fois le jeune homme parti, c'est de ne l'avoir pas fait parler davantage : *Mais ayant tant souffert, je devais me contraindre / Jusques à m'éclaircir de ce que je dois craindre, / A pousser jusqu'au bout son caquet indiscret, / Et savoir pleinement leur commerce secret* (vv. 363-366). Et par conséquent chacune de ses entrevues avec le jeune homme est, de sa propre

volonté, une situation fausse grâce à laquelle il peut apprendre de lui plus que ce que celui-ci voudrait sans doute dire. Molière a remarquablement exploité cette situation qui, en définitive, fait souffrir Arnolphe autant qu'elle le sert et qui permet de relancer l'action.
C'est d'ailleurs cette fausseté consubstantielle qui installe Arnolphe dans le rôle du cocu. Si l'on y réfléchit, en effet, Arnolphe intriguant pour tenir Agnès à l'écart des séducteurs se comporte de la même façon que des séducteurs intriguant pour s'introduire auprès d'une belle. Le résultat en est que chacune de ses précautions est vaine parce qu'il a en face de lui un adversaire qui utilise des armes semblables aux siennes. Un épisode est très révélateur à cet égard : celui du balcon. Arnolphe avait assuré minutieusement avec ses domestiques la préparation de la « réception » qu'il comptait faire au jeune homme dont il avait appris qu'il s'introduirait chez lui en grimpant par le balcon ; il avait « minuté » les opérations et avait ajouté cette précision, importante à ses yeux : *Sans me nommer pourtant en aucune manière, / Ni faire aucun semblant que je serai derrière* (vv. 1340-1341). Or cette précaution s'avère tout à fait inutile puisque Horace, dans le récit qu'il fait à Arnolphe de cet épisode, note : *Ces gens-là dont était, je pense, mon jaloux...* (v. 1386). Horace et Arnolphe sont d'ailleurs deux véritables complices dans le déguisement au Ve acte, lorsque le jeune homme vient confier Agnès à celui qu'il croit être son ami : Arnolphe : *Pour jouer au plus sûr, / Il faut me l'amener dans un lieu plus obscur : / Mon allée est commode et je l'y vais attendre.* Horace : *Ce sont précautions qu'il est fort bon de prendre. / Pour moi, je ne ferai que vous la mettre en main, / Et chez moi sans éclat je retourne soudain* (vv. 1450-1455).

3 A l'égard d'Agnès, Arnolphe a d'ailleurs un comportement tout à fait semblable : il veut obtenir d'elle une confidence et, pour ne pas éveiller sa méfiance, il va la chercher lui-même dans la maison (vv. 411-414). Il se dispose ensuite à la sonder : *Et je la fais venir en ce lieu tout exprès / Sous prétexte d'y faire un tour de promenade, / Afin que les soupçons de mon esprit malade / Puissent sur le discours la mettre adroitement, / Et, lui sondant le cœur, s'éclaircir doucement* (vv. 454-458). On remarquera qu'en l'occurrence Arnolphe utilise le même verbe que celui qu'il avait utilisé à propos d'Horace (v. 364) : *s'éclaircir.*
Comme avec Horace, bien que sur un mode différent, les rapports qu'il entretient avec la jeune fille sont les rapports de celui qui sait à celle qui ne sait pas, avec cette différence pourtant que ces rapports lui paraissent immuables, c'est-à-dire qu'il ne pense pas avoir à craindre un renversement de situation. Et par conséquent, il peut voir sans être vu. C'est la raison pour laquelle il se permet des choses que sans doute il n'oserait pas faire s'il ne se sentait à l'abri des regards : en particulier, lorsqu'il donne ordre à Agnès de jeter une pierre à Horace quand celui-

ci se présentera à nouveau, il précise : *M'entendez-vous, Agnès ? Moi, caché dans un coin, / De votre procédé je serai le témoin* (vv. 637-638). Il se cache d'Horace en présence d'Agnès, pour surveiller l'un et l'autre, sans se soucier le moins du monde du regard de la jeune fille — de la même façon qu'il négligeait le regard de ses serviteurs dans l'épisode du balcon. (Il ne s'avise d'ailleurs pas que le procédé qu'il utilise pour écarter le jeune homme est véritablement « signé » et qu'Horace ne doutera pas un instant de celui à qui il le doit : *Agnès m'a confirmé le retour de ce maître / En me chassant de là d'un ton plein de fierté, / Accompagné d'un grès que sa main a jeté* — vv. 877-879).

La nature des rapports qu'il entretient avec la jeune fille se marque très bien dans les équivoques dont ses propos sont constellés : les puces ont-elles *inquiété* la jeune fille ? *Ah ? Vous aurez dans peu quelqu'un pour les chasser — Vous me ferez plaisir. — Je le puis bien penser* (vv. 237-238). Mais ces plaisanteries d'un goût douteux qu'Arnolphe fait pour lui tout seul reposent sur un malentendu dont il finit par être lui-même la victime. Il n'a pas dit à Agnès qu'il voulait l'épouser ; il vient simplement de lui déclarer qu'il est revenu pour la marier. A la joie naïve de la jeune fille qui ne pense qu'à Horace : *Que, si cela se fait, je vous caresserai !* il répond par une équivoque qui montre qu'il n'a pas compris qu'Agnès ne songe pas à lui : *Hé ! la chose sera de ma part réciproque* (vv. 618-619), et il devient parfaitement ridicule.

4 Les changements de masque : Mais son utilisation du masque avec la jeune fille change à mesure qu'il découvre qu'elle a évolué. Peu à peu, il est amené à entretenir des rapports différents avec elle : les progrès qu'elle fait dans la conscience de sa condition — qui se marquent dans la part plus grande qu'elle prend aux intrigues d'Horace — le contraignent à modifier son attitude et à tenir compte davantage de son regard. Cette évolution est tout à fait sensible dans la fameuse scène muette à laquelle assiste Horace du fond de son armoire et qu'Arnolphe évoque au début de l'acte IV : *De quel œil la traîtresse a soutenu ma vue !* (v. 1012). Il était venu pour intimider la jeune fille par un masque sévère (cf. vv. 1154-1167) et, pour la première fois, il s'est senti regardé : *Jamais ses yeux aux miens n'ont paru si perçants* (v. 1022).

Mais ce qui perd Arnolphe, et qui le sépare irrémédiablement d'Agnès, c'est qu'il ne prend pas conscience que ses différents masques ont perdu leur efficacité. Dans la dernière scène qui le met en présence de la jeune fille, il en essaie plusieurs, en vain (celui de l'intimidation vv. 1485-1505, celui du reproche moral vv. 1506-1527, celui de la générosité bafouée vv. 1528-1559, celui de la menace vv. 1560-1568, ceux de l'amour enfin, vv. 1569-1606).

Chaque changement de masque ne fait d'ailleurs que souligner davantage l'artifice des attitudes d'Arnolphe : sans doute aurait-il été plus convaincant s'il était resté dans le même registre. Quoi qu'il en soit, la colère qui le prend devant ses échecs successifs le montre, un court instant, tel qu'il est, dépouillé de son masque : monstrueux d'égoïsme (vv. 1607-1611).

5 La tentation de jeter le masque : On remarquera que le masque prend une valeur particulière quand il tombe brusquement : Arnolphe le quitte ainsi deux fois, pour marquer sa supériorité avec une joie mauvaise. C'est d'abord avec Agnès, dont il se venge, en quelque sorte, qu'il utilise ce procédé. Horace vient, en effet, de lui confier la jeune fille qui ne pouvait pas le reconnaître parce qu'il s'était avancé « le nez dans son manteau ». Dès que le jeune homme est parti, il se découvre : *Mon visage, friponne, / Dans cette occasion rend vos sens effrayés, / Et c'est à contrecœur qu'ici vous me voyez : / Je trouble en ses projets l'amour qui vous possède* (vv. 1485-1488). Le ton est, à l'évidence, celui du triomphe. Seconde occasion pour Arnolphe de quitter le masque lorsque, dans la dernière scène, il conseille à Oronte de marier Horace, fût-ce contre la volonté de ce dernier : *Est-ce que vous voulez qu'un père ait la mollesse / De ne savoir pas faire obéir la jeunesse ?* (vv. 1688-1689). Il met tant d'ardeur à défendre ce point de vue, qu'il provoque l'étonnement de Chrysalde : *Je suis surpris, pour moi, du grand empressement / Que vous me faites voir pour cet engagement, / Et ne puis deviner quel motif vous inspire* (vv. 1698-1700). Chrysalde ne peut pas voir qu'Arnolphe a tombé le masque pour Horace.
Celui qui porte un masque, en effet, se trouve dans une situation paradoxale : il se cache, il se dissimule, mais, dans le même temps, il est irrésistiblement attiré par le désir de montrer que, grâce au masque, il triomphe. Cela se voit dès le début de la comédie, dans le besoin qu'éprouve Arnolphe de faire confidence de son « expérience » à Chrysalde. Rien ne le contraignait à un tel aveu hors le sentiment qu'il a de réussir là où tous les autres lui paraissent avoir échoué. Cette certitude où il est d'être le plus fort fait qu'il raconte avec complaisance toute l'histoire d'Agnès depuis le jour où il l'a prise à sa nourrice, en ne faisant grâce à son ami d'aucune des naïvetés de la jeune fille, et qu'il ne peut pas s'empêcher d'inviter Chrysalde à *examiner* lui-même cette jeune merveille (vv. 151-154). N'oublions pas qu'Arnolphe est ce personnage à l'ironie mordante qui ne dédaigne pas de faire parler de lui en dénonçant à grand fracas les petits scandales de la société dans laquelle il vit : *Car vos plus grands plaisirs sont, partout où vous êtes, / De faire cent éclats des intrigues secrètes* (vv. 19-20). Rien d'étonnant, dans ces conditions, à ce que le moment venu il ôte le masque pour manifester bruyamment son triomphe.

6 L'anti-masque, ou la joie de la communication : Arnolphe a pourtant eu l'occasion, dans l'un de ses monologues, de railler ses contemporains incapables de tenir leur langue : *Voilà de nos Français* *l'ordinaire défaut. / Dans la possession d'une bonne fortune, / Le secret est toujours ce qui les importune, / Et la vanité sotte a pour eux tant d'appas / Qu'ils se pendraient plutôt que de ne causer pas* (vv. 835-839). Il ne sait pas, lui-même, résister à cette *vanité sotte* qu'il fustige. Plus lucide est Horace, qui reconnaît : *L'allégresse du cœur s'augmente à la répandre, / Et goûtât-on cent fois un bonheur trop parfait, / On n'en est pas content si quelqu'un ne le sait* (vv. 1177-1179). Ces deux couplets sur la « communication » jouent un rôle important comme contrepoint au thème du masque qui se développe tout au long de la comédie. Mais le masque, ce n'est pas seulement la dissimulation d'Arnolphe à l'égard d'Horace ou d'Agnès, ce sont aussi un certain nombre d'attitudes érigées en principes moraux : qu'on songe, par exemple, à ce que dit Chrysalde des infortunes conjugales, qu'en définitive il accepte pour son compte pourvu qu'on ne se moque pas de lui de façon trop évidente ; il espère *qu'on se contentera de s'en rire sous main* (v. 62). Chrysalde, comme Arnolphe, a devant le mariage et à l'égard des femmes des attitudes et des comportements qui relèvent eux aussi du masque : ce ne sont que formules figées derrière lesquelles il s'abrite. Mais ces masques-là ne s'enlèvent pas sans douleur, ils collent à la peau. Arnolphe découvert, dans la dernière scène, s'enfuit sans pouvoir prononcer un mot : il court se cacher.

Tels nous semblent être les thèmes anecdotiques et les thèmes essentiels de la pièce. Ce qui relève de l'anecdote ce sont, pour nous, les problèmes liés à une société donnée et qu'on ne saurait transposer dans une autre. Si Molière évoque la condition féminine, il le fait en des termes bien particuliers à son époque et il serait malhonnête de prétendre utiliser des « arguments » fournis par la comédie dans la querelle moderne de la condition de la femme. Ce qui nous est apparu comme essentiel, en revanche, ce qui par conséquent ne change pas avec les structures sociales, ce sont les modalités de nos rapports avec les autres. Là sans doute sont les exemples que nous pouvons tirer pour déterminer notre propre conduite.

Mais ces suggestions ne prétendent nullement rendre compte d'une pièce riche et complexe. Elles manifestent simplement la volonté délibérée de comprendre une œuvre à partir d'elle-même, en regroupant des éléments (répliques, indications scéniques, gestes) épars dans le développement de la comédie, mais qui ressortissent tous à une même idée, à un même thème. On pourrait multiplier les lectures thématiques de ce genre sur la seule comédie de *L'École des femmes*, et sans doute est-il souhaitable qu'on le fasse : c'est un moyen de connaître une œuvre en profondeur. Mais il ne faut pas que cette étude fasse perdre de vue que ce dont on parle ce sont des hommes peints *d'après nature* et que leur représentation a pour but de nous faire rire.

Remarques grammaticales

1 L'article

Il est souvent omis :

Me fait à chaque fois révérence nouvelle (v. 496).
Et ce sont vrais Satans (v. 655).
Et de vous raccrocher vous trouverez moyen (v. 887).

Une telle omission est beaucoup plus fréquente que dans la langue moderne ; elle appartient à la langue familière.

2 Le pronom relatif

L'emploi du pronom *où* est beaucoup plus étendu que dans la langue moderne puisqu'il est fréquemment utilisé à la place des formes composées du relatif en fonction de complément circonstanciel.

Les noces où je dis qu'il vous faut préparer (v. 662).
Elle a de certains mots où mon dépit redouble (v. 1549).

On note, par ailleurs, la survivance d'un emploi du pronom relatif qui s'apparente à celui du relatif de liaison en latin :

Et vous irez un jour, vrai partage du diable,
Bouillir dans les enfers à toute éternité,
Dont vous veuille garder la céleste bonté (vv. 736-738).

3 Le pronom personnel

Le pronom personnel *en* peut être utilisé pour renvoyer à une personne, ce que ne permet pas la langue moderne :

Le présent qu'il m'a fait d'une belle cassette,
*Et l'argent qu'*en *ont eu notre Alain et Georgette* (vv. 555-556).

Le pronom personnel complément d'infinitif est très souvent placé devant le verbe dont dépend cet infinitif :

Et moi-même je veux l'aller faire sortir (v. 414).
Oui vous le pourrez voir (v. 621).

4 L'emploi des modes

L'indicatif peut s'employer à la place du conditionnel avec les verbes exprimant la possibilité, la convenance ou l'obligation ou avec le verbe être (c'est un latinisme) :

Mais, ayant tant souffert, je devais me contraindre (= « j'aurais dû me contraindre ») (v. 363).
Vous devez toujours, dis-je, avoir devant les yeux,
Le peu que vous étiez sans ce nœud glorieux (= « le peu que vous auriez été... ») (vv. 689-690).

Le participe a un emploi plus étendu que dans la langue moderne puisqu'il peut servir de véritable substitut à une proposition circonstancielle :

> *Levez-vous, et, rentrant, faites qu'Agnès descende* (v. 411) et cela même si le sujet de la circonstancielle ne serait pas le même que celui de la principale :
> *Le lendemain, étant sur notre porte,*
> *Une vieille m'aborde en parlant de la sorte* (vv. 503-504).

5 L'emploi de l'auxiliaire

Lorsqu'un verbe, dont dépendait un infinitif réfléchi, était placé entre le pronom personnel et cet infinitif, la règle était de lui donner l'auxiliaire « être » des verbes réfléchis :

> *Et servante et valet, que je viens de trouver,*
> *N'ont jamais, de quelque air que je m'y sois pu prendre,*
> *Adouci leur rudesse à me vouloir entendre* (vv. 967-969) (= « de quelque manière que j'aie pu m'y prendre »).
> *Tâchons de nous résoudre et de nous contenter*
> *Du seul fruit amoureux qu'il m'en est pu rester* (= « qu'il ait pu m'en rester ») (vv. 1662-1663).

6 La coordination

La langue du XVIIe siècle, plus souple en cela que la nôtre, peut coordonner un complément d'objet direct et une proposition complétive, ou même deux propositions de nature différente, construction que n'accepte pas la langue moderne :

> *Voyez la médisance, et comme chacun cause* (v. 468).
> *Pensez-vous le bien prendre et que sur votre idée*
> *La sûreté d'un front puisse être bien fondée ?* (vv. 111-112).

7 La négation

L'ellipse de *ne* est très fréquente dans la tournure interro-négative au XVIIe siècle :

> *L'amour sait-il pas l'art d'aiguiser les esprits ?* (v. 919).
> *M'êtes-vous pas venu quérir pour votre maître ?* (v. 1088).

Lexique

abord (d') : dès l'abord, immédiatement.
d'abord que : aussitôt que.
accommoder : traiter.
s'accommoder à : se conformer à.
admirable : qui provoque la stupeur, l'émerveillement.
affecter de : mettre de la complaisance à.
air : apparence, manière d'être.
aise : plaisir.
apanage : ornement.
assommer : tuer à force de coups.
assurer (s') : être certain.

bailler : donner.
benêt : sot, niais.
berner : tourner en ridicule.
bile : colère.
bizarre : extravagant.
blanchir : être inutile.
brave : bien vêtu.
bruit : ragot.
brutal : grossier.

cadeau : collation que l'on offre à une femme.
cajoler : bavarder, jacasser.
canon : ornement du costume.
caquet : bavardage.
cercle : réunion mondaine.
chagrin : (subst.) colère.
(adj.) irrité, très contrarié.
civil : courtois, poli.
clarté : connaissance.
commerce : relations qu'on a avec quelqu'un.
compliment : formule de politesse.
conclure : décider.
consommer (se) : s'accomplir, atteindre sa perfection.
consulter : réfléchir.
contenter : satisfaire, faire plaisir, rendre heureux.
cornard : cocu.
cotillon : jupon.

damoiseau : jeune homme.
dauber : plaisanter, railler.
débiter : raconter.
démangeaison : désir ardent.
déplaisir : chagrin.
dextérité : ruse.

éclaircir (s') : s'instruire, se renseigner.
enfiler : s'engager dans.
engagement : liaison sentimentale.
ennui : tourment, angoisse.
entendre : comprendre.
étonner : déconcerter.
étonnant : extraordinaire, stupéfiant.
éventer (s') : prendre l'air.
éventé : léger, étourdi.

fadaise : ineptie.
faillir : commettre une faute.
fantaisie : lubie.
faquin : canaille, individu sot et prétentieux.
fatal : mortel.
faux : trompeur.
fausse confidence : une confidence destinée à tromper.
fieffé : au plus haut degré.
figure : attitude.
finesse : ruse.
flatter : caresser.
fureur : folie.
furie : violence extrême.

galant : celui qui courtise une femme.
gauchir : dévier.
gendarmer (se) : s'irriter.
génie : talent.
gens : domestiques.
grès : caillou, pavé.

harde : vêtement.
heur : chance.
honnêtement : poliment.
hors : sauf, excepté.
huppé : habile.

imbécile : faible.
impertinent : sot.
incontinent : tout de suite.
indiscret : sans retenue.
infaillible : inévitable.
inquiéter : importuner, agiter.
instruction : conseil.
intelligence : complicité.

joindre : marier.

leste : élégant.
libéral : généreux.
libertin : indiscipliné, négligeant ses devoirs.

main (donner la) : épouser.
malice : méchanceté.
malin/maligne : méchant(e), néfaste.
mander : envoyer chercher.
marotte : idée fixe.
médecine : remède.

nourrir : élever.

objet : femme aimée.
obliger : rendre service.
office : devoir.
ouïr : entendre.

pâtir : souffrir.
piquer : irriter, vexer.
pleinement : en détail.
politique : principes de conduite.
pratique : fréquentation.
procédé : attitude, comportement.
prôner : vanter.
purger (se) : se justifier.

ravir : transporter d'admiration.
rebuter : repousser.
régaler : offrir une réception.
ruelle : alcôve.

simple : naïf, un peu sot.
soin : souci.
sot : cocu.
souffrir : supporter, tolérer.
souffrance : complaisance.
suffrage : approbation.
superbe : orgueilleux.
sûreté : précaution.

tantôt : bientôt.
tenir : considérer.
tôt : promptement, vite.
tour : intrigue.
allée et venue.
tourner : façonner au tour (comme un potier).
train : façon de vivre.
trame : intrigue.
transport : manifestation d'un sentiment (en général de joie).
tribulation : affliction, adversité.
triste : tragique.
tympaniser : décrier.

user (en) : se conduire.

TABLE DES MATIÈRES

RÉFÉRENCES DES ILLUSTRATIONS

Hachette : 24 (haut et bas) ; Giraudon : 25 (haut) ; Bulloz : 25 (bas) ; Roger Viollet : 26 (haut et bas) ; Hachette : 27 (haut et bas) ; Lipnitzki : 28 (haut) ; Bernand : 28 (bas) ; Roger Viollet : 29 (haut) ; Bernand : 29 (bas) ; Wyndham : 30 (haut gauche) ; Roger Viollet : 30 (haut droite) ; Lipnitzki : 30 (bas gauche et droite) ; Georges Pierre : 31 (haut gauche) ; Roger Viollet : 31 (haut droite) ; Bernand : 31 (bas gauche et droite) ; Bernand : 32 (haut), 33 (haut et bas) ; Roger Viollet : 32 (bas).

Imprimé en France — Imprimerie Hérissey, Évreux Eure - N° 35720
Dépôt légal N° 9397-11-1984 — Collection N° 12 — Édition N° 07

16/4594/4